États-Unis, peuple et culture

ISBN 2-7071-4260-3

Si vous désirez être tenu régulièrement informé de nos parutions, il vous suffit d'envoyer vos nom et adresse aux Éditions La Découverte, 9 *bis*, rue Abel-Hovelacque, 75013 Paris. Vous recevrez gratuitement notre bulletin trimestriel *À **La Découverte***. Vous pouvez également nous contacter sur notre site **www.editionsladecouverte.fr**.

États-Unis,
Peuple et culture

La Découverte / Poche
9 *bis*, rue Abel-Hovelacque
75013 Paris

Présentation des auteurs

John Atherton, études américaines (culture du XXe siècle), Université Paris-VII-Denis-Diderot.

Nicole Bernheim, journaliste, *Le Monde* (correspondante aux États-Unis de 1979 à 1984).

Sophie Body-Gendrot, sciences politiques, civilisation américaine, Université Paris-IV-Sorbonne.

François Brunet, art et littérature des États-Unis, Université Paris-VII-Denis-Diderot.

Françoise Burgess, études américaines.

Patrick Chamorel, science politique (politique comparée États-Unis/Europe), Claremont McKenna College (Californie).

Marc Chénetier, littérature américaine, Université Paris-VII-Denis-Diderot / Institut universitaire de France.

Jean-Claude Chesnais, démographe, INED (Institut national d'études démographiques), *Visiting Professor* à la School of Advanced International Studies / Johns Hopkins University (Washington-Bologne).

Michel Ciment, civilisation américaine, rédacteur de la revue *Positif*.

Rémi Clignet, sociologue, University of Maryland.

Laurent Cohen-Tanugi, avocat international, écrivain.

Sim Copans, ancien directeur de l'Institut d'études américaines (décédé).

Nelcya Delanoë, historienne, Paris-X-Nanterre.

Gérard Dorel, géographe.

Geneviève Fabre, études américaines, Université Paris-VII-Denis-Diderot.

Michel Fabre, études américaines.

Claude Fohlen, historien, Université Paris-I-Panthéon-Sorbonne.

Cynthia Ghorra-Gobin, géographe, CNRS, Université Paris-IV-Sorbonne.

Patrick Juillard, juriste.

Ronald Koven, journaliste, World Press Freedom Committee.

Claire-Emmanuelle Longuet.

Dinah Louda.

Theodore J. Lowi, politologue.

Claude Manzagol, géographe, Université de Montréal.

Élise Marienstras, historienne, Université Paris-VII-Denis-Diderot.

Denis-Constant Martin, sociologie politique et sociologie de la musique, CERI/FNSP (Centre d'études et de recherches internationales-Fondation nationale des sciences politiques).

Jean-Pierre Martin, histoire des États-Unis/histoire des idées, Université de Provence (Aix-Marseille-I).

Marcelle Michel, journaliste.

Philippe de Montebello, directeur du Metropolitan Museum of Art, New York.

Jocelyn de Noblet, chercheur en culture technique et matérielle, Design.

Jacques Portes, histoire nord-américaine, Université Paris-VIII-Vincennes-Saint-Denis.

Isabelle Richet, civilisation américaine, Université Paris-X-Nanterre.

Marie-Jeanne Rossignol, américaniste, Centre interdisciplinaire de recherches sur l'Amérique du Nord (CIRNA) / Université Paris-VII-Denis-Diderot.

Jean-Sébastien Stehli, journaliste.

Roland Tissot, littérature et civilisation américaines, Université Lumière-Lyon-II.

Marie-France Toinet, politologue (décédée)

Hélène Trocmé, historienne.

Bernard Vincent, histoire et civilisation américaines, Université d'Orléans.

Ibrahim A. Warde, politologue, Center of International Studies, Massachusetts Institute of Technology.

François Weil, historien, directeur du Centre d'études nord-américaines (CENA) de l'EHESS (École des hautes études en sciences sociales).

Table

3. MYTHES ET FONDEMENTS

Table 9

5. ARTS ET CULTURE

Table 11

Avant-propos

Tandis que l'attitude unilatérale des États-Unis sur la scène internationale soulève les passions et suscite des incompréhensions, l'ouvrage collectif *États-Unis, peuple et culture* permet de se pencher sur ce qui fait la spécificité des États-Unis et de mieux comprendre ce que sont l'Amérique et les Américains. Aucun pays, sans doute, n'a fait naître autant de mythes dont il est à la fois le héros et la victime, aux yeux de ses propres citoyens comme aux yeux de l'étranger.

Les formes de développement économique et social sont, aux États-Unis, manifestement différentes de celles de l'Europe. Pour beaucoup, ce pays ferait exception – l'individualisme ne revêtant pas le même aspect dans l'Ancien et le Nouveau Monde et les cadres juridiques et politiques de la vie sociale différant des deux côtés de l'Océan. En quoi consisterait l'« exception américaine » ? Elle se veut utopie, organisation sociale libérée des précédents européens. Elle se veut aussi exemplaire, phare que les responsables des autres pays sont invités à fixer pour accélérer la modernisation de leur société.

Pour comprendre le peuple américain, il est indispensable de connaître les *mythes fondateurs* de ce pays, les idéaux et valeurs auxquels il s'identifie. Empreinte religieuse, mythe de la Frontière, identités communautaires et idéologie du *melting pot*, croyance optimiste dans la réussite individuelle malgré l'existence de très fortes inégalités sociales, place et conception du droit dans le système démocratique, etc. sont autant de fondements de l'identité « étatsunienne ».

Comprendre le peuple américain suppose aussi de revenir sur l'histoire politique du pays – notamment sur les conditions de fondation de la nation – et de suivre les étapes du peuplement de cette terre d'immigration (jusqu'aux évolutions récentes révélées par le recensement de la population réalisé en 2000).

Cela suppose aussi de connaître sa culture et son extraordinaire créativité artistique. Au-delà de l'apport fondamental de la création américaine à un art naissant comme le cinéma ou au-delà de l'émergence de musiques totalement nouvelles comme le jazz, les États-Unis ont constitué, dans la seconde partie du XXᵉ siècle, le point de gravité de l'art moderne, de la chorégraphie et de la mise en scène contemporaines, etc. Sans oublier les contributions essentielles, depuis le XIXᵉ siècle, des écrivains et poètes américains, des photographes ou encore des architectes.

Les textes qui composent cet ouvrage sont pour partie inédits. Les autres ont fait l'objet d'une première publication, en 1990, aux mêmes éditions, dans *L'état des États-Unis*, sous la direction de Marie-France Toinet et Annie Lennkh. L'occasion nous est ainsi donnée de prolonger – et d'honorer – le remarquable travail scientifique et éditorial de Marie-France Toinet, disparue en 1995.

1

Territoire

Pays et paysages : la diversité américaine

Claude Manzagol

L'espace américain se présente comme un trapèze renversé dont les bases mesurent 2 600 et 4 500 km pour une superficie de 7 839 000 km². Trois grandes masses topographiques s'allongent dans une orientation grossièrement méridienne : les cordillères de l'Ouest, les Grandes Plaines et le système appalachien que flanque la plaine atlantique.

Les cordillères de l'Ouest

La plaque tectonique américaine est frangée par un énorme bourrelet montagneux de type alpin, large de 1 500 km². Il résulte d'épisodes géologiques inaugurés au secondaire (« révolution laramienne »). Plissements et soulèvements ont été accompagnés ou suivis d'intrusions granitiques et d'épanchements volcaniques.

– *Les montagnes Rocheuses à l'est*. Armées par le socle précambrien qui affleure en puissants massifs ou disparaît sous une couverture sédimentaire faiblement plissée, elles offrent des formes lourdes associées au matériel cristallin où les cassures, souvent méridiennes, imposent les directions d'ensemble.

Au sud, alternent chaînons (monts Sacramento) et dépressions (Rio Grande) ; entre 35^0 et 45^0 de latitude, les Rocheuses dominent les Hautes Plaines à l'est par le front soutenu du Sangre de Cristo et du Front Range culminant à 4 400 m, qui s'estompe dans le Wyoming et reprend de la vigueur au Montana, au-delà de la zone volcanique du parc Yellowstone.

– *Plateaux et bassins du centre.* Au nord, de puissants épanchements volcaniques tabulaires sont entaillés en canyon par la Columbia et la Smoke River ; au centre, la rivière Colorado a incisé le canyon le plus spectaculaire dans le plateau qui porte son nom. À l'ouest, le Grand Bassin centré sur le Nevada est une combinaison de massifs et de bassins d'effondrement d'altitude variée (1 320 m au Grand Lac Salé, 80 m dans la Death Valley). L'aridité marque les formes, dans le désert Mohave et en Arizona où l'altitude faiblit, et où les crêtes calcaires surmontent de vastes glacis qui s'achèvent en *playas*.

– *Les chaînes pacifiques à l'ouest.* Montagnes jeunes, issues de mouvements récents qu'attestent un volcanisme actif (mont Sainte-Hélène) et de fréquents tremblements de terre, vigoureusement travaillées par l'érosion, elles se disposent en deux axes nord-sud. L'axe oriental comprend la chaîne des Cascades, au nord, surmontée d'anciens volcans (mont Rainier, 4 390 m), humide et drapée de forêt ; au sud, le grand bloc de la sierra Nevada (mont Whitney, 4 420 m), qui domine le Grand Bassin, subit l'effet d'une aridité croissante vers le sud. Les chaînes côtières (Coast Range) soulevées au quaternaire sont d'altitude médiocre, mais l'érosion entaille vigoureusement grès et argiles. Une dépression discontinue s'insère entre les deux axes : Puget Sound, vallée de la Willamette et surtout la Grande Vallée californienne où courent le San Joaquin et le Sacramento.

Obstacle majeur à la circulation, les montagnes de l'Ouest sont un vaste château d'eau, un réservoir minier et un domaine touristique de premier ordre.

Les Grandes Plaines

Entre Rocheuses et Appalaches s'étend une vaste zone déprimée drainée par le Mississippi et ses affluents, large de

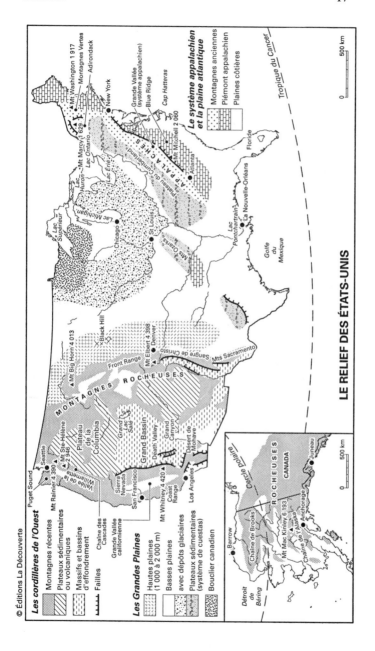

© Éditions La Découverte

LE RELIEF DES ÉTATS-UNIS

Les cordillères de l'Ouest
- Montagnes récentes
- Plateaux sédimentaires ou volcaniques
- Massifs et bassins d'effondrement
- Failles

Les Grandes Plaines
- Hautes plaines (1 000 à 2 000 m)
- Basses plaines
- avec dépôts glaciaires
- Plateaux sédimentaires (système de cuestas)
- Bouclier canadien

Le système appalachien et la plaine atlantique
- Montagnes anciennes
- Piémont appalachien
- Plaines côtières

1 500 à 1 800 km. C'est un complexe de bassins de sédiments secondaires et tertiaires peu dérangés, où l'érosion a mis en valeur un relief de cuestas qui s'accusent vers la périphérie et autour des saillies du socle (monts Ozarks).

Sous le front vigoureux des Rocheuses, les Hautes Plaines calcaires s'abaissent graduellement de 1 200 m à 600 m jusqu'à l'escarpement du Missouri. Au-delà d'une série de cuestas faisant front vers l'est, on atteint la plaine inondable du Mississippi, où le grand fleuve déroule paresseusement ses méandres. Vers l'est, les séries sédimentaires deviennent plus tourmentées à mesure qu'on s'approche des Appalaches ; les cuestas dominent de vastes dépressions (Bassin du Blue Grass au Kentucky, Bassin de Nashville au Tennessee) tandis que l'érosion karstique meule les calcaires (Mammoth Cave du Kentucky).

Le nord des Grandes Plaines est marqué par la proximité du bouclier canadien et par l'empreinte des glaciations quaternaires. Le bouclier apparaît même au sud-ouest du lac Supérieur ; à son contact, les couches sédimentaires donnent un relief de côte dont la longue cuesta claire de Niagara est l'exemple le plus spectaculaire. Les Grands Lacs occupent des fossés tectoniques ou des dépressions excavées en roches tendres. Ils sont drainés vers le Saint-Laurent depuis les épisodes glaciaires qui ont laissé une énorme auréole de dépôts argileux, de drumlins d'aliments morainiques, et de fertiles couches de lœss comme en Iowa.

Au sud, les Grandes Plaines s'élargissent jusqu'au golfe du Mexique : c'est une immense demi-cuvette où se sont entassés des kilomètres de sédiments. Sur une plaine inondable de 90 000 km^2, le Mississippi apporte au golfe une masse énorme d'alluvions. Son grand delta palmé, domaine amphibie (lac Pontchartrain, bayous), saillit sur une côte plate à lagunes et cordons littoraux.

Les Grandes Plaines constituent un vaste domaine favorable à l'activité agricole. Le Mississippi, « plus grand rassembleur des zones extratropicales », associé au système des Grands Lacs et du Saint-Laurent, forme un puissant réseau de navigation intérieure.

Le système appalachien

Une grande unité orogénique primaire (mouvements calédoniens et hercyniens) s'étend sur 3 500 km de Terre-Neuve à l'Alabama et resurgit à l'ouest du Mississippi (monts Ozarks). Ordonnée sud-ouest/nord-est, c'est une montagne moyenne, ensemble de plateaux et de dépressions arasées (surface de Harrisburg) que surmontent des crêtes résiduelles en roches dures. Au sud du parallèle de New York, les Appalaches classiques associent quatre bandes parallèles :

– le plateau de Cumberland à l'ouest renferme les puissantes séries houillères, de la Pennsylvanie à l'Alabama, et domine de 400 m (front des Alleghanys) la Grande Vallée ;

– avec la Grande Vallée commence la série de crêtes et de sillons parallèles qui caractérisent le relief appalachien. Les longues vallées que suivent les rivières (Tennessee, Shenandoah) et les cluses qui coupent les crêtes ont joué un rôle essentiel dans la colonisation et la guerre de Sécession ;

– l'axe des Blue Ridge, saillie de quartzites, culmine au-dessus de 2 000 m dans les Smoky Mountains et s'abaisse en Pennsylvanie ;

– à l'est, le piémont appalachien est une vieille surface d'érosion en roches cristallines surmontée d'inselbergs.

Au nord de la coupure structurale occupée par la vallée de l'Hudson, les Appalaches changent de caractère : disparition des crêtes et sillons, réapparition du socle précambrien en massif (Adirondaks) ou en écailles (montagnes Vertes), profonde empreinte glaciaire sur les sommets (mont Washington, 1 917 m), les vallées et la côte.

La plaine atlantique

Inexistante en Nouvelle-Angleterre, elle s'élargit jusqu'à 400 km au Texas. Les sédiments crétacés et tertiaires qui la constituent entrent en contact brutal avec les Appalaches : la Fall Line a localisé les chutes d'eau et les villes. Jusqu'au cap Hatteras, la côte porte la trace des épisodes quaternaires : terrasses, profondes vallées ennoyées favorables aux ports (Hudson, Chesapeake, Delaware). Au sud, la plaine plus large est frangée par une côte rectiligne à cordons et lagunes ; le grand pédoncule (560 km) de Floride s'en détache ; le soubassement calcaire, parsemé de lacs en dépressions karstiques, piqué de récits coralliens, supporte de vastes marécages comme les Everglades (13 000 km²), et s'orne de longues plages sableuses.

Legs d'une longue histoire, l'espace américain recèle des paysages d'une grande variété et des ressources naturelles considérables. La disposition du relief pèse sur le jeu des masses d'air et la pluviométrie et a fortement influencé la marche du peuplement.

Les réseaux de transport, un maillage solide

CYNTHIA GHORRA-GOBIN

Avec le développement du chemin de fer dans la seconde moitié du XIXᵉ siècle, l'appropriation du territoire des États-Unis par ses habitants s'est faite plus aisément et plus rapidement. Jusqu'à cette période, les canaux et les routes constituaient les moyens de communication les plus utilisés pour le transport de marchandises et de voyageurs. Le canal Érié, achevé en 1825, fut un grand succès pour la ville de New York. À la même époque, la Pennsylvania Main Line of Public Works construisit le canal de Philadelphie à Pittsburgh, Chicago fut reliée au Mississippi et l'État d'Ohio mit son réseau en place. Mais les canaux, adaptés au développement d'économies locales, furent sérieusement concurrencés par le rail lorsque l'économie prit une dimension nationale.

Le chemin de fer et la conquête des frontières

Le chemin de fer a ouvert une nouvelle ère dans le développement de la nation américaine. Il est directement responsable de la création de nombreuses villes et il a modifié radicalement la structure de la ville américaine. Sur la côte est, il a accéléré la croissance des villes existantes et les nouvelles voies se sont installées parallèlement à la route ou aux canaux. New York n'a pas tardé à être reliée à Philadelphie, Baltimore et Washington et, un peu plus tard, à Boston.

L'extension du réseau ferré a été très rapide : en 1830 les États-Unis comptaient 1 600 kilomètres de voies, 14 000 en

1850 et 48 000 en 1860. Il ne s'est pas seulement agi d'une extension du réseau mais d'un changement dans le tracé de ce réseau. Désormais, les nouvelles lignes ne s'orientèrent plus sur un axe nord-sud mais vers l'ouest. Et les territoires de l'Ouest qui furent bientôt reliés aux villes et aux ports de la côte est ne tardèrent pas à enregistrer une importante croissance démographique. Chicago passa de 29 000 à 109 000 habitants dès qu'elle se trouva à l'intersection de quelque onze lignes de chemin de fer. Los Angeles, annexée à la Fédération en 1850, ne connut de véritable développement que lorsqu'elle fut reliée en 1876 par la Southern Pacific Railway au reste du territoire ; son véritable *boom* date de 1887 lorsqu'une société rivale, la Santa Fe, fit payer un dollar à ses passagers contre cent dollars sur la Southern Pacific. Le *Golden Age* de la construction du réseau de chemin de fer se situe entre 1865 et 1916 : on passa de 56 000 à 406 000 kilomètres. Bien des lignes s'appelaient *Pacific* ou *Western*, suggérant les *frontières* encore à conquérir.

Ces multiples sociétés ont bénéficié de l'aide du gouvernement fédéral sous forme de concessions de terres. En assurant la promotion de leur patrimoine foncier, elles ont largement contribué à la spéculation effrénée qui dévorait alors le pays. Il est donc difficile de dissocier l'appropriation du territoire américain et sa valorisation sans faire référence au chemin de fer.

La *Main Line* (ligne de chemin de fer rendue célèbre par plusieurs films), qui relie Philadelphie à Pittsburgh, vit fleurir au pourtour de ces villes de nouveaux quartiers résidentiels comme Swarthmore ou Chestnut Hill. De même, l'utilisation du chemin de fer pour les transports domicile-lieu de travail transforma l'arrière-pays de Chicago, de New York et d'autres grandes villes en lieu de résidence pour les classes aisées, les banlieues résidentielles.

Diversification des moyens

Au début du XXe siècle, le chemin de fer, qui jusqu'alors bénéficiait d'une situation de monopole pour le transport interurbain et urbain, a été sérieusement concurrencé par l'apparition du tramway électrique et, plus tard, par l'automobile. Les conditions financières des sociétés privées ne s'améliorèrent pas avec l'ingérence du pouvoir fédéral et la création de l'Interstate

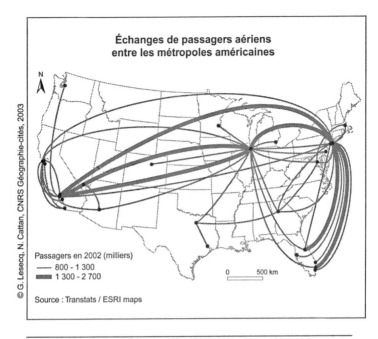

Échanges de passagers aériens
entre les métropoles américaines

© G. Lesecq, N. Cattan, CNRS Géographie-cités, 2003

Passagers en 2002 (milliers)
—— 800 - 1 300
▬▬ 1 300 - 2 700

0   500 km

Source : Transtats / ESRI maps

Voies de communication et aéroports (2004)

Réseau autoroutier	6 370 031 km	Aéroports (nombre)	14 801
Réseau ferré	194 731 km	Héliports	149
Voies navigables	41 000 km		

Commerce Commission (Commission du commerce interétatique – ICC) en 1903. En 1980, le réseau de chemin de fer, géré par treize sociétés, ne représentait plus que 300 000 kilomètres et n'assurait que 35 % du trafic de marchandises.

On a cependant enregistré une résurgence du chemin de fer depuis que le Congrès a voté le *Staggers Rail Act* de 1980 qui limite le rôle prépondérant de l'ICC. Pour assurer une meilleure rentabilité de leurs services, des sociétés ont fusionné (comme Union Pacific et Western Railroad, en Californie) pour ne plus être que six. Par ailleurs, elles ont limité le nombre de lignes en service et réduit leurs effectifs. Aussi, entre 1975 et 1982, ont-elles doublé leurs revenus.

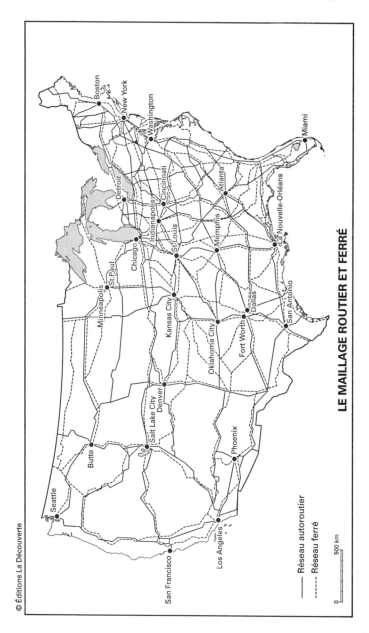

LE MAILLAGE ROUTIER ET FERRÉ

—— Réseau autoroutier

---- Réseau ferré

0   500 km

Alors que les routes n'ont cessé de s'élargir et de se multiplier, un nouveau maillage d'autoroutes nationales a été mis en place au milieu du XXᵉ siècle, reliant les différentes régions entre elles. Amorcé par la législation fédérale de 1944 et renforcé par celle de 1956, le réseau, nommé *Interstate Highway System*, a été entièrement construit à l'aide de fonds fédéraux provenant d'une taxe sur l'essence.

Depuis un quart de siècle, l'essentiel des relations interurbaines est assuré par un réseau complexe de lignes aériennes qui, sous l'effet de la déréglementation, a pratiqué des tarifs concurrentiels : des dizaines de nouvelles compagnies aériennes se sont créées au début des années 1980, dont la durée de vie a été brève : 214 compagnies ont disparu entre 1979 et 1989. L'essor des transports aériens est responsable de la création de gigantesques aéroports.

À la suite de l'attaque contre le World Trade Center et contre le Pentagone le 11 septembre 2001, ainsi que de diverses menaces terroristes, le trafic aérien interurbain a été sérieusement perturbé. Le nombre de passagers ayant sensiblement décliné, l'État fédéral est intervenu en accordant des subventions aux compagnies aériennes, destinées à limiter les licenciements du personnel.

L'intensité des échanges aériens se présente comme un indicateur de qualité pour mesurer la dynamique des échanges entre villes et métropoles, qui représentent l'essentiel de l'économie américaine et concentrent 87 % de la population. La révolution des technologies de la communication et de l'information, qui *a priori* autorise les entreprises et les ménages à se localiser en dehors de toute contrainte spatiale s'est, en fait, traduite par un renforcement du fait métropolitain attesté par les résultats du dernier recensement de 2000.

Le domaine public fédéral : plus d'un tiers du territoire

GÉRARD DOREL

La question foncière est au centre de la problématique américaine. Dès le départ, l'Amérique est apparue comme le lieu où pouvait se réaliser le souhait de tous ces Européens victimes ancestrales d'une distribution inégale de la terre. Le rêve américain fut d'abord celui de l'accès à une terre bien à soi, libre de toute sujétion, même si on oublia bien vite que ces terres avaient initialement des propriétaires : les Indiens.

Les grands débats politiques de la jeune République furent centrés sur la question agraire et la disposition des immenses espaces transappalachiens dont elle se rendit maîtresse par achats ou traités. Entre les appétits des spéculateurs et les tenants d'une démocratie agraire relativement égalitaire, force est de reconnaître que ce furent les premiers qui l'emportèrent même si diverses lois ont donné à l'État fédéral un certain pouvoir régulateur.

Intervention publique et spéculation privée

De grandes lois foncières votées par le Congrès ont organisé la disposition du domaine public : dès 1785, la *Land Survey Ordinance* (Ordonnance sur le cadastre) met en place la célèbre grille cadastrale qui marque encore aujourd'hui les paysages agraires au-delà de la Pennsylvanie. Elle découpe le territoire en carrés de six miles de côté, divisés en 36 sections de 256 hectares mises en vente à bas prix pour le plus grand profit de spéculateurs fonciers qui se chargent de les placer auprès des foules de colons avides de s'installer sur leur propre terre. En 1862, le président Abraham Lincoln, soucieux d'accélérer l'occupation de la Prairie au sud des Grands Lacs, fait voter par le Congrès le *Homestead Act* qui l'autorise à distribuer gratuitement des terres à ceux qui s'engagent à les défricher et à s'y installer pour au moins cinq années. Un peu plus tard, le *Morril Act* dispose d'une partie des terres publiques pour assurer le financement des écoles et des collèges. Enfin, et plus spectaculaire encore, le gouvernement subventionne en nature les compagnies de construction de chemin de fer dans l'Ouest en leur distribuant 63 millions d'hectares (la superficie de la France est de 55 millions d'hectares !). Elles reçoivent alors, sur une bande large de 20 à 50 kilomètres de part et d'autre de la ligne à construire, la moitié des terres publiques.

Cette politique foncière ne vaut cependant pas pour l'ensemble du territoire. Dans le Nord-Est, les structures initiales de l'occupation agraire rappelaient largement celles de la vieille Europe. Les défrichements y privilégièrent les secteurs de vallée les plus accessibles, dessinant un parcellaire en lames de parquet perpendiculaires aux rivières (c'est le « rang » des Canadiens d'aujourd'hui que l'on retrouve jusque dans la région de Saint Louis). Quant aux traditions agraires britanniques, elles se lisent encore dans le cadastre urbain des villes de la Nouvelle-Angleterre qui ont parfois conservé, comme à Boston, un vaste espace vert central rappelant les *commons*, les communaux réservés à la jouissance de toute la communauté.

Au sud, en Virginie et au-delà, les concessions foncières accordées par la Couronne britannique à quelques lords aventureux expliquent une distribution particulièrement inégalitaire : d'un côté, les vastes plantations reproduisant, avec une main-d'œuvre servile noire, les systèmes aristocratiques les plus rétrogrades de l'Europe de l'époque ; de l'autre, la multitude de « petits Blancs » qui s'installaient au gré des espaces que les grands planteurs ne s'étaient pas appropriés. Quant aux territoires du Sud-Ouest sous juridiction espagnole, ils firent l'objet d'un découpage tout aussi seigneurial avec ces immenses domaines, les *ranchos*, dont les limites étaient si floues et les titres si mal enregistrés que leurs propriétaires furent pour la plupart spoliés lorsque les États-Unis annexèrent ces régions au milieu du XIXᵉ siècle.

Mais, globalement, c'est l'accès relativement facile à la terre pour tous les hommes libres de l'Amérique qui fut l'élément clé de l'histoire de ce pays. Un accès d'autant plus facile que l'abondance foncière n'exigeait pas, comme en Europe, de protéger les sols. Ceux-ci épuisés, on partait un peu plus loin vers l'ouest, profitant des possibilités apparemment infinies offertes par un gouvernement soucieux de voir occuper le plus rapidement possible des espaces contrôlés depuis peu. On sait les conséquences de ce laxisme : l'épuisement des sols, particulièrement dans les secteurs écologiquement fragiles (le *Dust Bowl* – le bol de poussière – des années 1930 est resté dans les mémoires), s'explique par cette facilité offerte à des hommes pour qui la terre n'apparaissait pas comme une valeur de patrimoine mais comme l'instrument d'une rapide fortune.

Une autre conséquence moins connue fut aussi la précoce concentration des terres dans l'Ouest. Les conditions naturelles,

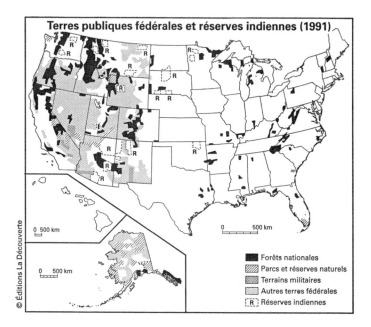

Terres publiques fédérales et réserves indiennes (1991)

Forêts nationales
Parcs et réserves naturels
Terrains militaires
Autres terres fédérales
R Réserves indiennes

© Éditions La Découverte

singulièrement l'aridité, le faible nombre des hommes aussi, rendaient impossible la reproduction du système relativement égalitaire de l'Est. Des barons fonciers purent ainsi, du Texas à la Californie, se tailler de véritables empires pastoraux en se faisant attribuer quelques parcelles bien situées près des points d'eau. Ce fut le cas du *King Ranch* qui s'étend au Texas sur l'équivalent d'un département français.

Le contrôle fédéral

Le gouvernement laissa longtemps faire et il fallut attendre le grand mouvement antitrust de la fin du XIXe siècle pour que l'État cherche à contenir ces excès. C'est ainsi qu'une loi, votée en 1902, limite à 160 acres (64 hectares) irrigués la superficie maximum qu'un individu peut cultiver s'il utilise de l'eau provenant des barrages construits par l'État fédéral. Mais elle n'a guère été appliquée et c'est justement dans les régions irriguées que l'on trouve aujourd'hui les plus grandes exploitations et les sociétés capitalistes agricoles les plus puissantes.

Tout ne tomba point cependant dans le giron des pionniers ou des spéculateurs. Peut-être tout simplement parce qu'il n'était pas utile d'être propriétaire pour user et abuser de ces immensités de l'Ouest qu'un État fédéral bien lointain ne pouvait facilement contrôler. Les forestiers y décimèrent les plus belles futaies primitives. Les éleveurs s'approprièrent des parcours qu'ils exploitèrent sans tenir compte de leur fragilité. Les mineurs laissèrent derrière eux des régions entières dévastées. Enfin, les États eux-mêmes lorgnaient avec intérêt sur ce domaine public qu'ils auraient voulu s'attribuer pour mieux le vendre à leur seul profit.

En fait, ce n'est qu'au tournant du XXe siècle que l'État fédéral a été assez fort pour imposer une protection et une utilisation plus rationnelle du domaine public qui s'étendait en 1991 sur 3,6 millions de kilomètres carrés, soit 40 % du territoire. Depuis 1976, une loi (*Federal Land Policy Management Act*) donne à Washington quasiment plein pouvoir de contrôle sur ces espaces qui appartiennent au patrimoine de la nation tout entière et qui doivent être préservés comme le sont déjà, depuis près de cent ans, les parcs nationaux.

(Rédaction : 1990)

La double attraction des façades : une vision simpliste de l'espace américain

CLAUDE MANZAGOL

La dynamique spatiale des États-Unis a généralement été interprétée, durant le dernier quart de siècle, en termes de retournement, à savoir le délestage du vieux Nord-Est industriel au profit d'un *Sun Belt hightech* effervescent. Une lecture plus fine a cependant invité à une interprétation plus nuancée : le *Sun Belt* n'est pas une entité homogène, certains États du *Manufacturing Belt* (Massachusetts, Illinois…) sont dans le peloton de tête de la haute technologie. Au cours des années 1980, diverses études, dont un rapport d'une commission du Congrès intitulé *The Bicoastal Economy*, ont attiré l'attention sur la spectaculaire croissance des régions côtières : 14 des 15 États affichant alors la plus forte croissance se trouvent en position littorale, l'Arizona seul faisant exception ; ces États côtiers, qui rassemblent 40 % de la population américaine, accaparent plus des deux tiers de la croissance de l'emploi et du revenu.

L'hypothèse d'une « maritimisation » de l'économie était donc tentante ; s'étendant sur 7 000 km de côtes, les façades maritimes des États-Unis sont accueillantes aux activités économiques ; la pêche est favorisée par l'étendue du plateau continental et/ou par la convergence des courants marins (saumons du Pacifique, crevettes du golfe du Mexique, crustacés de Nouvelle-Angleterre...). Les flux convergent vers les grandes concentrations portuaires, de Boston à Hampton Roads au nord-est, sur l'arc du Golfe ainsi que sur la façade pacifique. Le soleil et les plages attirent les touristes et fixent les retraités, en Californie comme en Floride et dans les Caroline. Toutefois, l'ère de la « littoralisation » des activités industrielles est révolue comme en témoignent le destin de la grande aciérie de Sparrow's Point, en face de Baltimore, et les difficultés de La Nouvelle-Orléans, où le tourisme compense mal les problèmes pétroliers et portuaires.

Une nouvelle dynamique territoriale

Les cartes d'évolution de la population américaine suggèrent une dynamique territoriale singulièrement plus complexe que la simple dichotomie côtes/intérieur. Un schéma durable se consolide, en forme d'immense V : de sa pointe au Mississippi et en Louisiane partent deux branches, l'une vers le Maine au nord-est, l'autre vers le Montana au nord-ouest. À l'intérieur du triangle, la croissance est beaucoup plus lente ; au cours des années 1980, les régions centrales se sont nettement affaiblies (solde migratoire négatif, vieillissement...). En premier lieu, la baisse des exportations agricoles au début des années 1980 a engendré une crise aux effets dévastateurs : faillites en cascade, diminution du nombre de fermes ; l'Iowa a perdu 5 % de sa population en sept ans (1980-1987) ! La crise de la sidérurgie et de l'automobile a ébranlé les États industriels : Ohio, Indiana et Michigan stagnent, seul le Minnesota *hightech* fait exception. Le bilan des années 1990 est plus positif ; tous les États ont renoué avec la croissance ; une décennie exceptionnelle de prospérité a permis de stabiliser les régions rurales et d'arrêter la saignée industrielle : l'Iowa et l'Ohio ont enregistré 5 % de croissance cumulée de leur population entre 1990 et 2000, le Michigan 7 % ; la situation restait cependant fragile comme le révèlent les législations protectionnistes de George W. Bush (imposition de tarifs douaniers à l'importation d'aciers, subventions agricoles accrues...).

La croissance de la population est infiniment plus spectaculaire de part et d'autre des branches du V, se situant presque toujours au-dessus des 10 % (croissance cumulée pour la dernière décennie) – Floride et Texas : 23 %, Georgie : 26 % –, mais les plus hautes performances ne sont pas le fait des États côtiers : 28 % en Idaho et en Utah, 30 % au Colorado, 40 % en Arizona, la palme allant au Nevada avec 66 %. Ces données traduisent une dynamique complexe où l'on peut lire notamment l'effet, sous ses divers aspects, de la globalisation en cours.

La métropolisation accélérée amène à la concentration des activités stratégiques (commandement – à savoir les pôles de décisions stratégiques des firmes –, Recherche-Développement, production de pointe, services supérieurs – soit des services à haute valeur ajoutée) au niveau supérieur de l'armature urbaine ; l'épanouissement de l'économie informationnelle a donné leur élan à Denver (+ 30 % de croissance cumulée de la population), Austin (+ 47 %), Atlanta et Raleigh-Durham (40 %), Phoenix (+ 45 %)... Les « villes globales » affirment leur capacité d'innovation, de commandement et de gestion stratégique à l'échelle de la planète : malgré leur taille, New York, Los Angeles et Chicago soutiennent un rythme voisin de 10 %, alors que Miami, investie d'un rôle continental – le rayonnement vers l'Amérique latine –, progresse de plus de 20 %. Il est frappant de constater l'alignement d'une majorité de ces métropoles le long de couloirs dans lesquels se manifestent de puissants effets de jonction et de diffusion des économies d'agglomération : la puissante mégalopolis s'étendant de Boston à Washington, la grande conurbation de Californie du Sud, de Los Angeles à San Diego, ou à une échelle moindre Dallas-Austin-San Antonio.

L'ALENA (Accord de libre-échange nord-américain, associant les États-Unis, le Canada et le Mexique), en vigueur depuis 1994, marque de son empreinte l'intensité et l'organisation des échanges entre les trois pays partenaires ; le commerce du Mexique avec le reste de l'Amérique du Nord a doublé en cinq ans. La continentalisation de l'économie se traduit aussi par la réorientation de courants d'échange de plus en plus méridiens. La dynamique spatiale en est marquée : l'axe Los Angeles-San Diego se prolonge à Tijuana ; Tacoma, Seattle et Vancouver sont en symbiose. Mais ce sont surtout les États à la frontière du Mexique qui ont reçu une forte impulsion liée à la relocalisation d'activités du *Manufacturing Belt*.

Croissance spectaculaire de la bordure pacifique

La globalisation de l'économie américaine se nourrit de liens de plus en plus forts avec l'Asie-Pacifique, d'où les États-Unis importent une part croissante de leurs biens... et des capitaux qui épongent leurs déficits commerciaux et budgétaires. La montée fulgurante de la Chine en tant que partenaire majeur rend largement compte du recul relatif des échanges avec l'Europe ; la façade pacifique s'est dotée de formidables infrastructures portuaires (Los Angeles-Long Beach traitent 250 millions de tonnes de marchandises par an) et les puissantes plates-formes multimodales, de San Diego à Tacoma, assurent la redistribution sur tout le continent. Les courants d'immigration sont une autre dimension de la nouvelle relation au monde des États-Unis et des sources de la croissance : en dix ans 12 millions d'immigrants, légaux et clandestins, venant principalement d'Amérique latine et d'Asie, ont gagné les États-Unis. Les métropoles sont en effet les lieux privilégiés d'entrée et d'installation des immigrés : près de 40 % d'entre eux arrivent par New York et Los Angeles.

La formidable croissance de la bordure pacifique est aussi porteuse de « déséconomies » : effets de « congestion », pollution, hausse des coûts de production, du prix de l'immobilier et des loyers. Aussi les entreprises comme les individus migrent-ils vers l'intérieur ; la diffusion est nette vers l'Arizona, l'Utah... Les activités de production et la population active ne sont pas seules concernées : les retraités eux aussi trouvent meilleur compte à s'installer dans les *gated cities* de Phoenix ou de Tucson, voire les petites villes de l'Idaho. Si Las Vegas est la métropole la plus effervescente (+ 84 % en dix ans), ce n'est pas simplement dû à la multiplication des casinos ; cette ville est devenue un lieu de retraite très prisé.

La dynamique du territoire américain ne relève pas d'une explication simple. Si les régions côtières ont largement bénéficié de la globalisation, elles le doivent d'abord à leur solide armature métropolitaine à base tertiaire capable de capitaliser sur les potentialités de l'économie informationnelle. Elles n'ont pas l'apanage d'une vitalité dont les multiples composantes rendent compte d'une spatialisation complexe. Par ailleurs, on mesure encore mal les effets de l'éclatement de la bulle de la « nouvelle économie », d'une part, des attentats du 11 septembre 2001, d'autre part : simple coup d'arrêt ou prélude à un redéploiement dont on n'entrevoit encore ni le sens ni les implications spatiales ?

Quatre niveaux d'organisation territoriale

PATRICK CHAMOREL

Les États-Unis comptent quatre niveaux d'administration territoriale : l'État fédéral, les États membres, les comtés et l'échelon local. Les comtés – maillon le plus faible de la chaîne – et les États se caractérisent par la permanence de leur nombre et de leurs frontières : les dernières adhésions d'États, Hawaii et l'Alaska, remontent à 1959, et seuls Porto Rico et le District de Colombie (Washington) frappent encore à la porte. En revanche, contrairement aux évolutions en cours dans la plupart des démocraties occidentales, il continue de se créer des communes aux États-Unis. Pas autant que de « districts spécialisés » cependant, qui prolifèrent plus rapidement encore que les districts scolaires ne disparaissent. Les *towns* et *townships*, qui ont la particularité de pratiquer la démocratie directe, sont en légère régression mais ne se rencontrent qu'en Nouvelle-Angleterre et dans le Middle West.

Enchevêtrement des unités locales

Ces unités gouvernementales ont en commun la disparité de leurs superficies, de leurs populations, de leurs ressources, et, pour les collectivités infra-étatiques, de leur nombre selon les États. En outre, loin de se correspondre ou de s'emboîter les uns dans les autres, les territoires des municipalités, comtés et dis-

tricts se superposent dans des configurations souvent inextrica-
bles à l'intérieur d'un même État. À cet enchevêtrement des
juridictions s'ajoutent l'imbrication des compétences et les
transferts de ressources. Faites tantôt de conflits, tantôt de
coopération, les relations entre les unités gouvernementales sont
ainsi devenues de plus en plus étroites.

Il reste que ni les comtés ni les municipalités, *towns* et
townships, ne couvrent l'ensemble du territoire américain. Les
premiers parce que le Connecticut pas plus que le Rhode Island
ne possèdent de comtés au sens propre du terme, et parce que
certaines villes – comme Washington, Baltimore ou Saint Louis –,
grâce à leur statut de municipalités indépendantes, échappent
aux juridictions des comtés, même si elles en remplissent les
fonctions. Ce statut ne doit pas être confondu avec celui qui
résulte de la fusion (*consolidation*), par souci de rationalisation,
d'une ville et d'un comté, cas de figure qu'illustrent notamment
New York, San Francisco, La Nouvelle-Orléans, Philadelphie et
Boston. À l'inverse, il existe des zones non « incorporées » en
municipalités, qui relèvent donc directement des comtés ou de
l'État membre.

NOMBRE D'ENTITÉS GOUVERNEMENTALES		
Type	1942	2002
Gouvernement fédéral	1	1
Gouvernements étatiques	48	50
Gouvernements locaux	155 067	87 849
dont :		
Comtés	3 050	3 034
Municipalités	16 220	19 431
Townships et *Towns*	18 919	16 506
Districts scolaires	108 579	13 522
Districts spécialisés	8 299	35 356
Total	155 116	87 900

Source : U.S. Bureau of the Census, 2002 Census of Governments, Governmental Units in
2002.

Disparité des statuts

Aux États-Unis, les collectivités infra-étatiques sont certes tenues de respecter la Constitution et les lois de l'État fédéré, qui lui-même est soumis à celles de l'État fédéral, mais, en raison de la nature fédérale de l'État américain, États membres et collectivités locales disposent d'un pouvoir d'auto-organisation. Celui-ci est très grand en ce qui concerne les États, puisque seule leur forme républicaine est exigée par la Constitution fédérale. Or, les institutions des États ont tendu à s'uniformiser en s'inspirant du modèle fédéral : séparation des pouvoirs, bicaméralisme (sauf au Nebraska qui interdit également les partis aux élections de l'État), suprématie du gouverneur.

La plus grande diversité d'organisation des collectivités locales ne doit pas faire oublier que, leur existence n'étant pas reconnue par la Constitution fédérale, elles sont les « créatures » des États. Leur degré d'autonomie varie cependant selon les États et selon les régimes sous lesquels elles se placent. Une minorité croissante d'États accorde l'autonomie maximale (*Home Rule*) : plus de 40 % des municipalités et des comtés en bénéficient, tandis que le droit commun de l'État, qui est plus contraignant, s'applique dans une même proportion de cas. Les autres régimes offrent généralement le choix entre plusieurs options institutionnelles.

WEST	NE Nebraska	**SOUTH**
MOUTAIN	KA Kansas	*SOUTH ATLANTIC*
MT Montana	MO Missouri	MD Maryland
ID Idaho		DE Delaware
WY Wyoming	*EAST NORTH CENTRAL*	WV West Virginia
NV Nevada	WI Wisconsin	VA Virginia
UT Utah	MI Michigan	NC North Carolina
CO Colorado	IL Illinois	SC South Carolina
AZ Arizona	IN Indiana	GA Georgia
NM New Mexico	OH Ohio	FL Florida
PACIFIC	**NORTHEAST**	*WEST SOUTH CENTRAL*
WA Washington	*MIDDLE ATLANTIC*	TX Texas
OR Oregon	NY New York	OK Oklahoma
CA California	PA Pennsylvania	AR Arkansas
AK Alaska	NJ New Jersey	LA Louisiana
HI Hawaii		
	NEW ENGLAND	*EAST SOUTH CENTRAL*
MIDDLE WEST	ME Maine	KY Kentucky
WEST NORTH CENTRAL	NH New Hampshire	TN Tennessee
ND North Dakota	VT Vermont	MS Mississippi
SD South Dakota	MA Massachusetts	AL Alabama
MN Minnesota	RI Rhode Island	
IA Iowa	CT Connecticut	

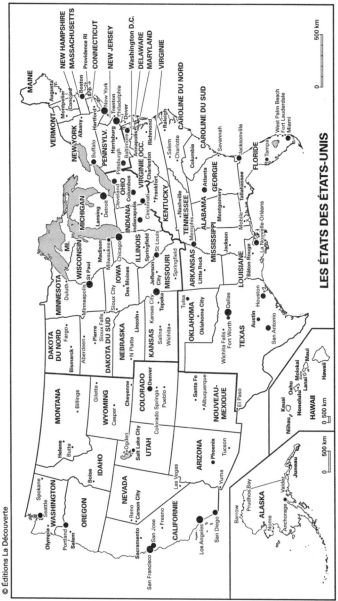

© Éditions La Découverte

LES ÉTATS DES ÉTATS-UNIS

Villes et comtés ont adopté des dispositifs institutionnels voisins, mais dans des proportions différentes. Ainsi, 70 % des comtés, surtout les petits, sont dirigés par une commission élue, où sont fusionnées les fonctions exécutives et législatives, en dépit de la relative inefficacité et de la confusion des responsabilités propres à ce type d'institution. Concernant les municipalités, un nombre croissant d'entre elles (53 %) a adopté la formule du *council-manager*, où le conseil délègue les fonctions exécutives à un administrateur professionnel et apolitique. Par ailleurs, 38 % des municipalités, surtout les grandes villes, sont dirigées par un maire élu par la population (*mayor-council*). Les deux formules ont tendance à converger puisque de plus en plus de villes adoptent à la fois un *manager* et le principe de l'élection du maire par l'ensemble de la population. Les administrations des villes comme des comtés se sont professionnalisées, bien que de nombreux postes administratifs soient pourvus par voie d'élection. Cependant, alors qu'un nombre croissant (77 %) de municipalités interdisent la participation des partis politiques aux élections locales, seulement 20 % des comtés adoptent cette règle pour leurs propres élections.

La tendance à l'adoption par les villes de découpages électoraux en vue de scrutins uninominaux, qui assurent une

---

Commentaire de la carte administrative

Les découpages en États et en comtés obéissent plus à une logique de colonisation (*settlement*) que de peuplement, logique renforcée par le statut fédéral du pays

En effet, aussitôt la phase de colonisation terminée, les limites administratives nouvellement créées ne bougèrent plus, quelles que soient les vagues de peuplement qui suivirent. Ainsi, aucun État n'a été créé après les États d'origine. Seuls l'Alaska et les îles Hawaii sont passés du statut de territoire à celui d'État. Ainsi encore, et excepté l'Alaska où régulièrement les comtés sont défaits et refaits, seulement quatre comtés ont vu le jour depuis 1926, date à laquelle la colonisation de la Floride s'achevait.

Du même coup, l'histoire des États-Unis se lit aisément dans le maillage de ses comtés. Les foyers de peuplement comme l'Est atlantique mais aussi, plus récents, comme San Francisco et Denver se reconnaissent à un découpage plus étroit et irrégulier qu'alentour.

À cause de cette fixité du tissu administratif, certains comtés supportent maintenant plusieurs millions d'habitants alors que d'autres en conservent seulement quelques centaines. Corrélativement, la différence de population entre États va de 1 (Wyoming, 494 000 hab.) à 68 (Californie, 33 871 000 hab.).

Frédéric Salmon

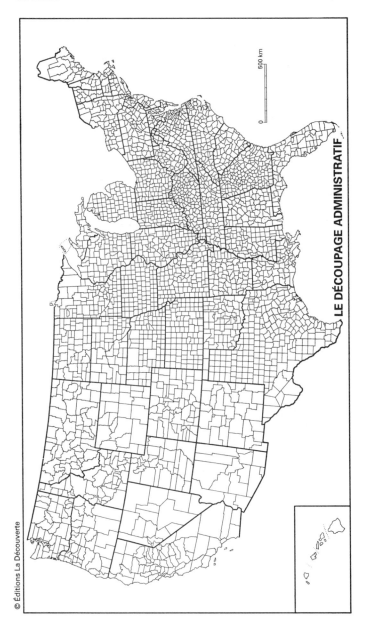

LE DÉCOUPAGE ADMINISTRATIF

500 km

© Éditions La Découverte

meilleure représentation des minorités, s'est récemment ralentie – 64 % des villes ont un scrutin plurinominal dans le cadre de la ville tout entière, 14 % élisent tous leurs conseillers municipaux au scrutin uninominal dans des circonscriptions spécifiques et 21 % présentent une formule mixte entre les deux méthodes. Quant aux procédures de démocratie directe (référendums, initiatives populaires et révocations), elles sont plus fréquemment prévues et utilisées par les États et les municipalités (entre la moitié et les deux tiers d'entre elles), surtout dans l'Ouest, que par les comtés.

D'une nature différente en raison de leurs compétences spécialisées, les districts ont suivi des évolutions singulières. Les districts scolaires, administrés par un *board of education* et un *superintendant*, le plus souvent élus, ont été regroupés, sous la pression des États, pour mieux s'adapter à l'évolution de leurs finances et des effectifs scolaires. Les États pensaient également faciliter les regroupements de communes en encourageant la création de districts spécialisés. Ceux-ci, habituellement à vocation unique (eau, lutte contre l'incendie, épuration), ont au contraire constitué une réponse intercommunale à la résistance des communes au changement et à leurs contraintes de gestion (en général plafonnement de l'endettement et du taux de taxation foncière). Créés par l'État fédéré ou les collectivités locales, leur autonomie est très variable. Leurs conseils d'administration sont certes élus, mais ils ne mobilisent quelquefois guère plus de 5 % d'électeurs (le vote peut, il est vrai, être limité aux catégories de citoyens les plus concernées). Leur juridiction et leur mode de fonctionnement les soustraient en outre en partie au contrôle démocratique, si bien que leur essor pose un indéniable défi à la démocratie locale

2

Naissance et histoire d'une nation

À l'origine, les Indiens

NELCYA DELANOË

On a diversement décrit les Indiens comme « les enfants de Babel, les suppôts de Satan, les descendants d'Israël, des Égyptiens, des Étrusques, des Huns, des Mandingues, des Tartares… » Or, leur histoire est à la fois plus simple et plus étonnante.

Les anthropologues ont montré que les Indiens sont d'origine asiatique. C'est au temps de la préhistoire qu'ils ont quitté la Sibérie par vagues successives et rejoint l'Alaska en franchissant le détroit de Béring, transformé alors en pont royal par les grands refroidissements du pléistocène. Les avis divergent sur les dates auxquelles ces migrations ont eu lieu. Elles se situeraient entre 40 000 et 12 000 ans avant l'ère chrétienne. Descendant le long du flanc ouest du continent américain par l'intérieur, ces premiers émigrants auraient lentement investi différentes régions, les uns en direction du sud, les autres en direction des plaines et des forêts orientales de l'Amérique du Nord. Là, ils se sont organisé une vie de grands chasseurs, tandis qu'à l'ouest des Rocheuses ils sont devenus cueilleurs et chasseurs de petit gibier. Enfin, dans le Sud-Ouest se sont instaurées des sociétés dites « du désert » (récolteurs de racines et de graines).

Ces cultures, qu'on nomme archaïques, se sont modifiées avec la fonte des calottes glacières, s'adaptant au nouvel environnement. Ainsi les Hohokam, dans l'Arizona d'aujourd'hui, furent-ils, il y a environ 2 000 ans, de grands constructeurs de réseaux d'irrigation et de barrages et de fins astronomes, savoirs utilisés entre autres pour la culture du maïs. Les Anasazi (Arizona, Nouveau-Mexique et Colorado actuels) habitaient les « châteaux du désert », nichés dans les falaises ou construits sur plusieurs étages. Agriculteurs chevronnés et astronomes habiles eux aussi, ils étaient, comme leurs prédécesseurs, amateurs de somptueux rites artistiques et funéraires (nombreux tumulus pyramidaux). Ces civilisations se sont abîmées entre les XIIe et XIVe siècles, mais leurs traditions artistiques (poterie, vannerie, tissage), reprises par les Hopis, Pueblos, Apaches et Navajos, sont aujourd'hui mondialement célèbres.

De brillantes civilisations

Dans l'est de l'Amérique du Nord fleurissaient à peu près à la même époque les non moins brillantes civilisations dites des Woodlands. La culture Adena d'abord (1000 av. J.-C. – 700 de notre ère) dans l'Ohio et le Kentucky actuels et sa voisine, la culture Hopowell (400 av. J.-C. – 300 de notre ère), dans l'Ohio du Sud et l'Illinois, mais dont l'influence s'étendait bien au-delà (Minnesota, New York, Floride et Louisiane). Il s'agissait de sociétés regroupées en réseaux urbains solidement protégés et organisés autour de hauts temples pyramidaux où brûlait la flamme éternelle du Soleil. Leurs successeurs, les Mississippiens, développèrent à partir du VIIIe siècle, de l'embouchure du Missouri à la Louisiane, au Tennessee et à l'Arkansas, des sociétés tout aussi riches, structurées et raffinées, aux constructions non moins monumentales. Ils furent les précurseurs des Cherokee, entre autres, qui cultivaient des champs de maïs ou de tabac, veillaient sur leurs vergers, entretenaient des silos où ils conservaient légumes, céréales et viande, chassaient, pêchaient, faisaient la guerre. De nombreuses cérémonies

rythmaient une vie culturellement riche et relativement bien
équilibrée, malgré le maigre usage des métaux, l'absence de la
roue et des animaux de trait et une pratique limitée, mais systé-
matique, des transcriptions (pictogrammes et pétroglyphes), de
wampum et autres systèmes mnémotechniques.

À chaque époque et chaque région correspondait ainsi tout
un monde : habitats, us et coutumes, langues (2 200 pour les
Amériques) se sont succédé sans se ressembler et sans gommer
ce fonds – spirituel, pratique, biologique – commun depuis les
origines à tous les peuples indiens d'Amérique. Cette unité dans
la diversité a toutefois été expliquée différemment par des cher-
cheurs indiens des États-Unis qui, dans les années 1970-1980,
ont affirmé que les premiers habitants du Nouveau Monde en
sont originaires. Cette affirmation d'antériorité absolue renfor-
cerait d'autant leur droit à la terre ancestrale.

La période coloniale

BERNARD VINCENT

Un double rêve, à la fois matériel et spirituel, est à l'origine de
la colonisation des Amériques : l'or et l'évangélisation des
« sauvages ». Embarqués dans cette aventure après les
Espagnols et les Français, les Anglais sortirent vainqueurs de la
compétition coloniale née de l'esprit conquérant de la
Renaissance : la timidité colonisatrice de la France et la défaite
de l'Armada espagnole (en 1588) ouvrirent à la Grande-
Bretagne et à ses négociants et banquiers dynamiques les chemins du Nouveau Monde. À un océan de la mère patrie se développa un empire que le temps et les hommes, la géographie et
l'histoire allaient peu à peu couper de ses bases et promettre à
un rêve nouveau : celui de l'indépendance et de la démocratie.

Un embryon d'empire

Outre sa rivalité avec l'Espagne, l'Angleterre avait de multiples raisons de vouloir coloniser l'Amérique du Nord : accroître
sa puissance maritime grâce aux besoins grandissants du négoce
et des pêcheries d'Amérique ; découvrir le mythique « passage
du Nord-Ouest » qui ouvrirait aux navires anglais la route

juteuse de l'Extrême-Orient ; résoudre en partie le problème du chômage en transférant outre-Atlantique toute une nuée d'oisifs indésirables ; enfin, disposer d'un lieu de refuge pour tous ceux qui refusaient de se conformer à l'Église anglicane.

Les colonies anglaises créées sur la façade atlantique du continent nord-américain furent de trois sortes. Il y eut tout d'abord les *charter colonies* : lancées par des hommes d'affaires et bénéficiant d'une « charte » royale, ces colonies à but lucratif ou, parfois, à vocation religieuse furent la première manifestation de ce goût de la « libre entreprise » si cher aux Américains et si essentiel à leur histoire. Certains de ces établissements firent faillite ou succombèrent aux représailles indiennes. Le roi dut alors se substituer aux compagnies et prendre entièrement en charge des colonies qui relevaient au départ de la seule entreprise privée : elles devinrent « colonies royales » ou « colonies de la Couronne ».

Enfin les *proprietary colonies* étaient des concessions territoriales accordées par le roi à des *Lords* chargés de les mettre en valeur, de les peupler et d'y faire régner les lois et coutumes d'Angleterre. Ce mode de colonisation « par le haut » finit par prévaloir sur l'initiative privée le jour où la Couronne s'avisa que, loin d'être de simples comptoirs à la française, les colonies d'Amérique formaient déjà l'embryon d'un empire.

L'esprit du « Mayflower »

La première colonie anglaise permanente fut établie à Jamestown (Virginie) en 1607. La deuxième vit le jour en 1620 à Plymouth (Nouvelle-Angleterre) ; ses fondateurs sont les « Pères Pèlerins », dissidents puritains ayant rompu avec l'Église anglicane et soucieux de rebâtir, dans un pays neuf et sur des bases assainies, tout l'édifice de la chrétienté – mais intégralement fidèle au message évangélique.

Avant d'avoir atteint les côtes américaines, les Pèlerins signent un contrat (le *Mayflower Compact*) aux termes duquel ils s'engagent, par-delà leur fidélité au roi, à n'obéir qu'aux lois locales qu'ils se seront données ; cette proclamation fondamentale, reprise ensuite par bien d'autres colonies, porte en elle, cent cinquante ans avant l'échéance, le triple germe de l'indépendance, de la Constitution fédérale et de la République américaine.

Poussées par le goût de l'aventure, l'ambition de faire fortune, la simple perspective d'avoir un emploi ou le désir de vivre leur foi librement, les vagues d'immigrants se succèdent et, dès 1700, douze des treize colonies qui plus tard formeront l'Union fédérale existent déjà. La vie s'y organise selon des principes inconnus en Europe. On trouve certes une classe supérieure (négociants, armateurs, ecclésiastiques dans le Nord, aristocratie terrienne dans le Sud) et l'on peut dire à cet égard que la société coloniale américaine n'est pas « démocratique ». Mais elle est en même temps marquée par une grande mobilité sociale et la reconnaissance du mérite personnel – à quoi s'ajoute, notamment sur la Frontière, un sens aigu de l'égalité dû à des conditions de vie très rudes qui tendent à placer tout le monde (y compris les femmes) sur le même pied. Au bas de l'échelle sociale se trouvent les serviteurs sous contrat (*indentured servants*) : pour payer leur traversée, ils se sont engagés à servir gratuitement un maître pendant plusieurs années, après quoi ils sont libres de vendre leur force de travail ou de s'installer à leur compte. Au XVIIe siècle, l'immense majorité des colons étaient par conséquent des serviteurs sous contrat ou d'anciens serviteurs ou des enfants de serviteurs, bref des hommes qui devaient le plus clair de leur liberté à leur propre travail ou à celui de leurs parents.

Une prospérité relative mais réelle régnait dans l'ensemble de ces colonies qui, elles, n'offraient en spectacle ni le désœuvrement des déshérités ni l'oisiveté des nantis. Ces colonies étaient anglaises, mais elles n'étaient déjà plus l'Angleterre et, dans ses *Lettres d'un fermier américain*, J. Hector St. John de Crèvecœur, installé dans la province de New York depuis 1759, pouvait à juste titre évoquer (en passant un peu vite sur le sort des Indiens et des Noirs) « l'Américain, cet homme nouveau ».

Les vertus (souvent puritaines) prônées par le christianisme local ne concernaient que l'univers des Blancs, et encore la tolérance mutuelle n'était-elle pas le point fort des multiples sectes venues d'Europe. Il fallut passablement d'exclusions, de procès en sorcellerie (comme à Salem en 1692) et quelques pendaisons de quakers pour que la sagesse finisse par l'emporter et pour que l'Amérique devienne, après la Suisse et la Hollande, un havre relatif de liberté religieuse.

Les chemins de l'indépendance

Au milieu du XVIIIe siècle, une longue guerre opposa, sur le territoire américain, l'Angleterre à la France. Vaincue, la France renonça, en 1763, à toutes ses possessions d'Amérique du Nord. L'attitude des colons vis-à-vis de la mère patrie se mit alors à changer : la protection britannique ne leur apparut plus comme une nécessité absolue. De leur côté, et en sens inverse, les autorités britanniques estimèrent que le laisser-aller et les mauvaises habitudes d'autonomie dans les colonies devaient céder le pas à une discipline renforcée qui soit digne d'un « empire », et à un effort fiscal enfin partagé.

Le Parlement britannique entreprit alors de mettre les colonies au pas en renforçant l'application des lois existantes. En imposant aux colons un nouveau train de lois fiscales (dont le *Stamp Act*, 1765) d'autant plus iniques que les colonies n'étaient pas représentées au Parlement ; en suspendant la colonisation des terres de l'Ouest ; et enfin en réduisant ou supprimant les pouvoirs des assemblées coloniales. La résistance s'organisa aussitôt au moyen de pétitions, de boycottages et de manifestations plus radicales comme l'Émeute du thé à Boston, en 1773, où les insurgés jetèrent par-dessus bord quelques cargaisons de thé de la Compagnie des Indes orientales. En recourant à la répression armée au lieu de reconnaître aux sujets lointains de Sa Majesté le droit de jouir des « libertés anglaises », Londres commit alors l'irréparable : les premiers coups de feu échangés à Lexington et à Concord (Massachusetts, 1775) marquèrent le début d'un dur et long conflit qui allait se solder, en 1783, par la défaite des Anglais, l'indépendance des colonies et l'instauration de la République des États-Unis d'Amérique.

La fondation de la nation

Les treize colonies de la côte atlantique avaient déjà un commandant en chef et un embryon de gouvernement commun (le Congrès continental) lorsque ce dernier annonça solennellement, le 4 juillet 1776, la rupture définitive avec l'ancienne métropole. Alors, les combats qui opposaient depuis plus d'un an les colons « patriotes » aux armées royales devinrent une guerre d'indépendance. Deux ans plus tard, la France apporta officiellement son concours aux insurgés et contribua à assurer en 1781, grâce à la victoire de Yorktown, la venue au monde d'une nouvelle nation. Paru en janvier 1776, *Le Sens commun* de Thomas Paine galvanisait les miliciens et les soldats volontaires. Les anciens « frères » britanniques étaient devenus des ennemis, la monarchie était conspuée, l'indépendance de l'Amérique présentée comme une nécessité inéluctable.

La République, une idée neuve

Pourtant, la république et surtout l'indépendance nationale étaient des idées neuves. Parmi les dirigeants des anciennes colonies, bien qu'acquis aux idées des Lumières, peu étaient des républicains radicaux. Les plus conservateurs préférèrent rester loyaux à la Couronne. D'autres ne se résolurent à l'indépendance que lorsque tout compromis se révéla impossible et que la fuite des autorités britanniques eut laissé un vide politique qui menaçait de tourner à l'« anarchie », comme on appelait alors la démocratie. Et si certains voyageurs avaient pu voir, dans les colonies du milieu du XVIIIe siècle, des velléités d'indépendance, aucun des signataires de la Déclaration de 1776 n'avait jusqu'alors mesuré les conséquences de la création d'une nation en territoire colonial. La nation naissait sans nom qui lui soit propre, sans culture et sans passé qui unifiât ses membres, sur un territoire dont les limites, qui allaient être fixées au traité de Paris de 1783, resteraient néanmoins incertaines et dont la propriété était disputée aux Indiens autochtones. Seule l'expérience coloniale liait les anciens colons, une expérience qui en faisait des déracinés, des créoles, des novateurs aussi, et des hommes libres.

C'est cette liberté qui fut en premier désignée comme le trait dominant et le seul ciment des membres de la nation. Une liberté qui n'était pas donnée à tous, puisque 20 % des habitants, par ailleurs d'origine africaine, étaient la propriété de colons, et qu'un nombre indéterminé d'autochtones disposait d'une liberté qui n'était reconnue par les nouveaux Américains qu'au titre de la « sauvagerie ».

La Constitution en débat

À défaut de se fonder sur une identité ancienne, la nation américaine se constitua donc par un système d'inclusion et d'exclusion qui permit de lui donner une première forme. On s'ingénia surtout à en agencer le fonctionnement politique. La première mouture d'une constitution commune aux nouveaux États – les Articles de la Confédération –, rédigée dès 1777, fut ratifiée quatre ans plus tard lorsque les États eurent accepté de céder au Congrès continental les terres qui les bordaient à l'ouest et qui allaient ainsi devenir « domaine public ». Les premiers traits de la nation américaine se dessinèrent dans la foulée : un État souverain sur les terres de l'Ouest et détenant les pouvoirs de diplomatie et de défense communes, ainsi que les relations avec les étrangers – tribus indiennes comprises. Mais un État sans force et sans moyens, sans pouvoir exécutif et dont le pouvoir législatif était miné par l'autonomie restée intacte des États de la Confédération.

Un groupe d'hommes, qui, autour de George Washington, d'Alexander Hamilton et de Robert Morris, souhaitaient renforcer l'État-nation, promouvoir une puissante dynamique économique, assurer le prestige de la jeune nation dans les cours d'Europe et maintenir l'ordre public face aux révoltes des moins nantis, s'employa à faire adopter une nouvelle constitution. D'âpres débats opposèrent les fédéralistes centralisateurs aux antifédéralistes libéraux. La Constitution fut finalement adoptée après maints compromis aux termes desquels les Sudistes esclavagistes, comme les États peu peuplés reçurent une représentation accrue au Congrès ; elle fut ratifiée en 1788 par des conventions élues dans chaque État avec la promesse qu'une Déclaration des droits (les dix premiers amendements) serait votée, garantissant aux individus les libertés pour lesquelles ils s'étaient battus. Simultanément fut adoptée l'Ordonnance du Nord-Ouest grâce à laquelle la République pourrait s'étendre à l'infini sans que ses structures soient modifiées.

« L'empire de la liberté »

Dans cette création inédite d'une nation, on peut dire que le libéralisme, dans ses connotations économiques et politiques, autant que comme philosophie volontariste du progrès, est le

---

L'achat de la Louisiane

Le 2 mai 1803, quand il vend la Louisiane aux États-Unis pour une somme infime (60 millions de francs), Napoléon perd tout espoir de reconquérir l'empire colonial français en Amérique mais il permet à la jeune république américaine de doubler l'étendue de son territoire. Grâce à cet immense domaine, aux populations diverses (Français, Espagnols, Indiens), à la géographie mal connue et aux frontières imprécises (incluent-elles le Texas ?), les Américains peuvent concrétiser leurs rêves d'expansion continentale. Ils organisent immédiatement des voyages d'exploration dont la double visée, scientifique et économique, est évidente.

Par cette acquisition, Thomas Jefferson viole sa propre vision de la Constitution de 1787 : il n'est en effet pas *explicitement* prévu que l'État fédéral puisse ainsi agrandir à son profit le territoire national et que le président puisse promettre l'incorporation dans l'Union d'une communauté résidant hors des limites originales. Mais il ne s'en soucie guère, pas plus que du mécontentement des Louisianais qu'on s'est bien gardé de consulter.

D'ailleurs, pour la passation de pouvoir, T. Jefferson envoie à La Nouvelle-Orléans des troupes et un gouverneur non francophone : qu'importe le *consent of the governed*, si ces nouveaux habitants ne sont pas encore de vrais Américains ? La Louisiane attendra 1812 pour devenir un État. T. Jefferson, ami de la France, déclare : « Nos nouveaux citoyens sont encore incapables, autant que des enfants, de s'auto-gouverner. »

MARIE-JEANNE ROSSIGNOL

---

mot clé qui guida l'histoire nationale dans le demi-siècle qui suivit. Au nom de la liberté des États, l'État fédéral se garda, jusqu'en 1868, de se prononcer sur la citoyenneté des habitants des États-Unis autrement que par la naturalisation des étrangers. Au nom du droit de propriété, l'esclavage, qui disparut peu à peu des États du Nord et du Centre, fut protégé par la législation fédérale, et même par la Constitution, là où l'on souhaitait le conserver. Seule l'importation des esclaves fut interdite par le Congrès en 1808. En 1803, en achetant à Napoléon l'immense Louisiane au-delà du Mississippi, Thomas Jefferson, le troisième président des États-Unis, promit d'y étendre l'« empire de la liberté ». Il laissa les Indiens « libres » d'en partir à la poursuite d'un gibier raréfié ou de s'y muer en petits cultivateurs, et de céder leurs terres superflues.

C'est encore la liberté du propriétaire qu'avancèrent les tribunaux pour condamner les grévistes au début de la révolution industrielle. Et si la république de petits fermiers indépendants rêvée par Jefferson s'évanouit devant le progrès du capitalisme industriel, la liberté du commerce, l'indépendance et la puissance nationales, la « mission universelle » des Américains servirent de justification à leur deuxième guerre contre les Anglais (1812-1815), puis à la guerre contre le Mexique grâce à laquelle le territoire des États-Unis s'accrut en 1848 de tout le sud-ouest du continent. La « Destinée manifeste » des États-Unis fut le leitmotiv du nationalisme au XIXe siècle. Ce thème donnait corps à l'idéologie nationale qui avait été esquissée au moment de l'Indépendance et à partir de laquelle une « religion civile » a constitué le substitut nécessaire à une culture nationale balbutiante.

Le nationalisme ne suffisait pas, pourtant, à souder le peuple dans une appartenance commune. L'hétérogénéité des populations et la diversité régionale, déjà remarquables lors de la fondation des États-Unis, allaient s'accroître à mesure que l'industrialisation, la ruée vers les mines d'or, le défrichement des grasses prairies de l'Ouest, la construction des routes, des canaux, des chemins de fer attiraient des immigrants de tous horizons. Une inégalité économique criante, le maintien de l'ulcère esclavagiste et l'incompatibilité entre les modes de production du Nord, du Sud et de l'Ouest divisaient le pays. Ils mettaient en péril l'avenir de la démocratie, une idée qui avait acquis sa respectabilité depuis l'époque d'Andrew Jackson (1829-1837), donnant à tous les hommes blancs l'accès aux urnes, mais n'apportant qu'un palliatif politique à une société profondément écartelée.

La guerre de Sécession
facteur de consolidation de l'union nationale

Jacques Portes

Les États-Unis ont affirmé leur unité nationale par une guerre civile qui a duré quatre ans (1861-1865), causé près de 620 000 morts et encore plus de blessés – pour une population qui atteignait environ 35 millions d'habitants. Non seulement les États-

Unis n'ont pas sombré, mais ils sont sortis régénérés du plus sanglant conflit de leur histoire.

La guerre n'était sans doute pas évitable, mais son ampleur était imprévisible. Les Pères fondateurs, rédacteurs de la Constitution de 1787, avaient voulu construire une nation, mais sans oser affronter le problème de l'esclavage, qui contribuait à la profonde disparité entre le Nord et le Sud. Au fil des années, les profits engendrés par la production du coton avaient façonné la société et l'économie des États du Sud, à tel point que ceux-ci prétendaient avoir des droits supérieurs à ceux de l'État fédéral et ne reconnaissaient pas le caractère perpétuel de l'Union. Le Nord recevait des immigrants et commençait à s'industrialiser.

La question de l'esclavage

Deux systèmes entraient en compétition, l'un fondé sur le travail servile, l'autre sur la liberté de la main-d'œuvre comme de la terre. Chacun voulait s'imposer dans les territoires de l'Ouest qui promettaient une expansion presque sans limite. Les Sudistes y mettaient d'autant plus d'énergie que leur population croissait moins vite et que les plantations exigeaient toujours plus de terre. Pourtant, en 1820, puis en 1845 et en 1854 encore, un pouvoir fédéral contrôlé par des démocrates sudistes avait trouvé des compromis de plus en plus difficiles qui répartissaient les nouveaux États entre les deux « sections » du pays. Mais la montée, au Nord, d'un anti-esclavagisme virulent et le besoin grandissant de terres, en raison de l'essor de la population, rendaient inacceptable cette situation. Le sort du Kansas, où s'affrontèrent les deux groupes en 1854, puis l'arrêt de la Cour suprême *Dred Scott c. Sanford* dès 1857, qui légitimait l'esclavage, enflammèrent l'opinion. À l'indignation du Nord, répondit le durcissement d'un Sud de plus en plus campé sur ses privilèges et sur ce qu'il croyait être ses droits.

Dans ce climat chargé, l'élection à la présidence, en novembre 1860, du républicain Abraham Lincoln (1809-1865) – le Parti républicain fut fondé en 1856 – prouvait que le temps des atermoiements était terminé. Lincoln n'était pas le radical décrit par les Sudistes, mais il était opposé moralement à l'esclavage et déterminé à mettre un terme à son extension. Le Sud, ne pouvant l'admettre, n'hésitait pas à se lancer dans la guerre et attaquait Fort Sumter le 12 avril 1861. Lincoln allait mettre toute son énergie dans la lutte qui s'engageait pour maintenir l'Union et réduire une rébellion dont il refusait le principe et les conséquences. Il s'agissait bien d'une guerre civile, le Sud se constituant en Confédération autonome, tout en calquant ses institutions sur celle de l'Union ; seuls les Européens y ont vu une nation en formation et ont privilégié la sécession.

Abraham Lincoln, croisé de la liberté

Cette guerre terrible voyait s'affronter des Américains sans tradition militaire. Tout compromis était impensable. Le camp de l'Union, fort de près de 20 millions d'habitants, semblait sur-puissant grâce à l'industrie et aux chemins de fer ; la Confédération était rurale et ne pouvait compter que sur ses 6 millions de citoyens, et ses 3,5 millions d'esclaves. Pourtant, une meilleure organisation militaire et une plus grande cohésion du Sud lui permirent de prendre l'avantage ; le général Robert Lee (1807-1870) dominait ses rivaux de l'Union. Toutefois, les troupes de la Confédération ne faisaient que se défendre sans parvenir ni à prendre Washington, ni à éviter l'encerclement par l'Ouest et le blocus de leurs côtes. La bataille de Gettysburg (3-4 juillet 1863) marqua le tournant d'une guerre qui s'acheva par la capitulation de Lee à Appomatox, le 9 avril 1865 ; le Sud était occupé, ruiné et vaincu.

Les difficultés de la guerre et la pression des républicains ont amené Lincoln à donner son vrai sens au conflit ; d'abord lutte pour le maintien de l'Union, il l'a transformé en croisade pour la liberté : depuis le 1er janvier 1863, l'émancipation des esclaves était proclamée. L'effet d'une telle décision, longtemps attendue mais peu souhaitée par la majorité silencieuse du Nord, fut considérable dans le monde entier. Les États-Unis prirent alors leur visage véritablement démocratique, débarrassé d'une tache honteuse. Pourtant, l'assassinat de Lincoln, le 15 avril 1865, privait le pays d'un grand homme dont il avait bien besoin au moment d'inventer la paix.

La guerre de Sécession a révélé les potentialités des États-Unis. Le gouvernement et l'économie se sont mis au service de la guerre avec une énergie étonnante, mais l'exercice d'un pou-voir sans faiblesse n'a pas engendré le césarisme et la violence de la guerre, loin d'être glorifiée, a conduit, par la suite, les généraux à ménager tout spécialement leurs hommes.

Une réconciliation difficile

La victoire de l'Union réglait simultanément deux questions de fond : la première était l'abolition de l'esclavage, confirmée et assurée par les 13ᵉ, 14ᵉ et 15ᵉ amendements à la Constitution (1868 à 1870). La seconde consistait en l'affirmation d'une incontestable unité nationale ; jamais plus un État ne pourrait se séparer de l'Union. Pourtant, bien du chemin restait à parcourir pour donner une réalité à de tels principes. Lincoln avait prêché la réconciliation, mais les frustrations des Sudistes jointes aux sentiments de vengeance, parfois mesquins, des républicains radicaux du Nord conduisirent à une phase difficile, ce que l'on a appelé la Reconstruction du Sud : les institutions furent démocratisées, mais les planteurs conservèrent l'essentiel du pouvoir, les Noirs libérés ne purent exercer leurs droits de citoyens que protégés par les troupes fédérales. Quand le Nord estima avoir accompli sa tâche, en 1877, il laissa le Sud régler à sa façon l'équilibre racial, ce fut le temps de la ségrégation. Sur ce plan, l'unité nationale fut certes réalisée, mais réduite seulement aux acquêts, sans grandeur.

En revanche, la guerre accentua considérablement l'unité économique du pays, dont le Sud bénéficia en s'industrialisant, à partir des années 1880.

Ce bilan en demi-teinte n'enlève rien à l'importance de la guerre ; elle va permettre aux républicains du Nord d'affirmer partout la puissance de l'Union, d'agiter la bannière étoilée en toutes occasions. Mais, dans le même temps, la cicatrice laissée par ce conflit majeur sera longue à se refermer ; le Sud restera méfiant, replié sur les souvenirs amers, et les anciens combattants de l'Union pèseront lourd et longtemps sur le budget de l'État. Pourtant, le tissu national américain sortira renforcé de cette épreuve ; jamais plus il ne se déchirera sur une telle profondeur.

L'émergence d'une grande puissance

Durant le demi-siècle qui sépara la guerre de Sécession de la Première Guerre mondiale, les transformations que connurent les États-Unis furent spectaculaires. Observateur avisé, l'écrivain Henry Adams (arrière-petit-fils du deuxième président et petit-fils du sixième président des États-Unis) constatait en 1904 l'ampleur de la mutation : « Une prospérité inimaginable par le passé, une puissance naguère hors de portée de l'homme, une vitesse autrefois réservée à un météore ont créé un monde irritable, nerveux, querelleur, déraisonnable et anxieux. »

De fait, l'Amérique du début du XXe siècle n'avait plus grand-chose à voir avec celle de 1865. L'ensemble du territoire avait été conquis sur la nature et surtout sur les Indiens. Les tribus avaient été progressivement refoulées, et souvent exterminées. Certes, en 1876, les Sioux avaient écrasé les troupes de George Custer à la bataille de Little Big Horn. Mais la résistance indienne allait céder devant l'essor des chemins de fer. L'année 1890 vit à la fois le dernier massacre de Sioux par l'armée, à Wounded Knee, et la proclamation par un fonctionnaire fédéral de la « fin », à vrai dire plus symbolique que réelle, de la « Frontière ». Les États-Unis étaient devenus une nation continentale.

Un développement prodigieux

La conquête de l'espace s'accompagna d'un formidable développement économique. À l'orée du XXe siècle, le pays était devenu la première puissance économique du monde. Le chemin de fer a joué dans cet essor un rôle capital. Les États-Unis, qui ne comptaient que 50 000 kilomètres de voies ferrées à la veille de la guerre de Sécession, pouvaient s'enorgueillir en 1900 d'un réseau six fois plus important. La construction et la gestion d'un tel domaine constituèrent à elles seules un facteur de croissance important. Lorsque se rejoignirent en 1869, à Promontary Point (Utah), les locomotives de l'Union Pacific et de la Central Pacific, achevant la première liaison transcontinentale, l'effort de création d'un marché national par le déve-

loppement des communications, symbolisé dès 1825 par l'ouverture du canal de l'Érié, trouvait son aboutissement. C'était la
fin de l'Amérique des communautés plus ou moins insulaires.

La croissance industrielle amena la création de firmes d'une
taille inconcevable avant la guerre de Sécession. Les compagnies ferroviaires offrirent le premier exemple de ces grandes
entreprises, dans leur structure comme dans leurs stratégies. Le
gigantisme gagna bientôt de nombreux secteurs de la production
ou de la distribution, tels les grands magasins (Macy's à New
York). Sous la houlette de capitalistes tels qu'Andrew Carnegie
dans la sidérurgie, John Pierpont Morgan dans la finance ou
John D. Rockefeller dans le pétrole, fusions et intégration se
multiplièrent, et le capitalisme américain entra ainsi de plain-
pied dans la modernité.

Parallèlement, l'Amérique s'urbanisa. Les décennies de
l'après-guerre civile, malgré la conquête du territoire, furent une
période de déclin pour les fermiers américains, qui virent leur
poids dans la société et l'économie du pays s'amenuiser au fur
et à mesure que grandirent les industries. Les prix agricoles
baissèrent et la colère des laissés-pour-compte de la modernisation monta. L'explosion se produisit dans les années 1890 avec
le mouvement populiste qui reprit à son compte les revendications d'organisations agrariennes telles que la Grange des
années 1870 et l'Alliance des fermiers des années 1880. L'échec
de William Jennings Bryan aux élections présidentielles de
1896, qui, soutenu par les démocrates et les populistes, appela à
« ne pas crucifier l'humanité sur une croix d'or », sonna le glas
de la revendication agrarienne et marqua le triomphe de
l'Amérique industrielle.

La capacité réformatrice

La croissance des métropoles s'accompagna de la montée de
problèmes sociaux. Chicago, qui ne comptait que 350 habitants
en 1830, en avait plus d'un million en 1890. Les millions d'immigrants qui gagnaient l'Amérique (plus de 10 millions entre
1870 et 1900) se concentraient dans les villes, où ils vivaient
dans des immeubles de rapport, les tristement célèbres *tene-
ments*, souvent insalubres. Confrontées à cette croissance sans
précédent, les municipalités réagirent d'abord mollement. Au

début du XXᵉ siècle, toutefois, sous l'impulsion de réformateurs progressistes soucieux de désamorcer la question sociale, la ville devint un vaste champ d'expériences et de réformes. En outre, l'espace urbain se transforma à mesure qu'apparurent les gratte-ciel et que se développa une politique urbaine cohérente. Au recensement de 1920, pour la première fois, on constata qu'une majorité d'Américains habitait la ville.

Ces transformations économiques et sociales ne laissèrent pas intact le système politique. Jusque dans les années 1890, la vie politique fut marquée par l'équilibre entre républicains et démocrates. Mais l'émergence du populisme rompit l'équilibre et souligna la nécessité de réformes. Les présidents successifs (les républicains William McKinley, 1896-1901 ; Theodore Roosevelt, 1901-1908 ; William Taft, 1908-1912 ; et le démocrate Woodrow Wilson, 1912-1920) s'y employèrent, consacrant notamment la croissance du rôle de l'État dans la vie publique. L'interventionnisme prit des formes nouvelles. Mais la vie politique fut également marquée par l'instauration de la ségrégation légale dans le Sud, avec le triomphe de la doctrine des « races séparées mais égales » (décision *Plessy c. Fergusson* de la Cour suprême en 1896), et par l'exclusion des Noirs du vote. Là, depuis la Proclamation de 1863 par laquelle Lincoln abolissait l'esclavage, le pays avait fait marche arrière.

La puissance impériale

Les Américain envahirent la scène internationale à partir de 1898. Le conflit hispano-américain, mené simultanément à Cuba et aux Philippines, s'acheva par la victoire des États-Unis. Leur décision de garder les Philippines, Cuba, Porto Rico, puis Hawaii, en fit une puissance coloniale. Le président Theodore Roosevelt joua d'ailleurs dans l'ensemble des affaires internationales un rôle éminent. Son activisme s'exprima, de manière plus traditionnelle, dans l'intervention américaine à Panama (1903) et au Venezuela (1905). L'intervention américaine dans la Première Guerre mondiale, en 1917, démontrait que les États-Unis ne pouvaient plus échapper désormais, malgré les hésitations et les remords des années 1920 et 1930, à leur destin mondial.

L'ampleur des changements survenus entre 1865 et 1917 avait de quoi émouvoir Henry Adams : les États-Unis étaient devenus plus riches, plus grands et plus puissants que jamais. Les réformateurs et les progressistes avaient su répondre en partie aux défis économiques, politiques et sociaux posés par la modernisation, en s'appuyant sur leur conviction de l'utilité d'une intervention publique dans la société. Sans doute n'avaient-ils pas réussi à instaurer la société harmonieuse dont ils rêvaient. Mais à défaut d'avoir créé un monde parfait, ils léguaient à leurs successeurs l'Amérique du XXᵉ siècle – un nouveau Nouveau Monde.

Le New Deal, deux révolutions en une

THEODORE J. LOWI

Bien qu'il représente un tournant fondamental de l'histoire des États-Unis, le New Deal n'a pas d'histoire ; il n'y en eut aucun signe avant-coureur : pas de mouvement social qui puisse expliquer l'adoption d'un tel projet et susciter un pareil soutien populaire ; aucun parti dont le programme eût quelque point commun avec ce que serait le New Deal. En soi, la « révolution Roosevelt » n'est pas difficile à expliquer ; mais qu'il n'y ait pas eu jusqu'alors de démocratie sociale en Amérique, voilà qui est moins simple à comprendre.

La meilleure explication de l'avènement du New Deal se trouve dans la Constitution et le fédéralisme qu'elle établit. À l'origine, la Constitution déléguait très peu de pouvoir à l'État fédéral. Certes, la cession des terres publiques, les travaux d'intérêt public, les recettes de douane sur les produits importés, la sauvegarde du système monétaire, la protection des brevets et droits d'auteur lui revenaient. Mais le gouvernement fédéral était une république commerçante qui ne concevait de meilleure incitation à l'action que le patronage étatique et n'exerçait pratiquement aucune contrainte directe sur les citoyens.

Tous les autres pouvoirs revenaient aux États fédérés. Les lois fondamentales pour les individus et les collectivités locales étaient faites et imposées par les législatures et les tribunaux des États. Il n'est donc pas étonnant que les centaines de mouvements sociaux et de groupes organisés qui se constituèrent à la fin de la guerre de Sécession (1861-1865), pour répondre aux

changements économiques révolutionnaires de l'époque, se
soient tournés non pas vers Washington mais vers les États.

Nationalisation du politique

Le glissement de la politique américaine vers l'échelon
national n'intervient qu'après 1886, quand la Cour suprême
rend son jugement dans l'un des cas les plus marquants de toute
l'histoire de la législation américaine : *Wabash, St Louis, and
Pacific Railway c. Illinois*. À cette occasion, elle invalide une
décision de l'État d'Illinois et lui interdit de fixer un plafond aux
tarifs de transport des marchandises pratiqués par les compagnies ferroviaires lors de la traversée de cet État (mesure destinée à protéger les agriculteurs), au motif que le commerce interétatique est du ressort exclusif de l'État fédéral. Ce jugement
fait apparaître une sorte de *no man's land* économique où les
États n'ont pas le droit d'imposer une réglementation alors
même que l'État fédéral, qui en a seul le pouvoir, ne souhaite
pas réglementer. Les groupes d'intérêt se détournent presque
aussitôt des États pour s'adresser à Washington. Agricoles ou
patronales, la plupart des associations nationales sont créées
après 1886. Quant au premier syndicat, mené par Samuel
Gompers (1850-1924), il ne prend de l'importance qu'à partir
de cette date. La Cour suprême vient, de fait, de nationaliser, au
sens propre du terme, la politique américaine.

L'État fédéral n'en reste pas moins réticent à s'occuper
d'une économie en pleine révolution. Après l'arrêt *Wabash*, le
Congrès adopte cependant deux lois importantes : l'*Interstate
Commerce Act* de 1887 et le *Sherman Antitrust Act* de 1890. Il
y a encore deux ou trois exceptions en 1914, à l'époque du président Woodrow Wilson (la création du Federal Reserve Board
[Fed], pour réglementer les banques nationales, et de la Federal
Trade Commission, pour réglementer la concurrence commerciale interétatique), mais en définitive, il s'agit d'efforts bien
modestes eu égard à l'importance croissante de l'économie. De
plus, l'échelon national demeure à peu près absent des controverses locales, d'autant plus cruciales qu'une bonne part de l'activité économique se déploie localement.

Même si la crise de 1929 est la cause ultime qui déclenchera
une révolution au sein du gouvernement fédéral, Franklin

La chasse aux sorcières

Le 21 mars 1947, par le décret présidentiel n° 9835, le président des États-Unis Harry Truman établit un programme de vérification de la loyauté des fonctionnaires fédéraux. C'est le début d'une répression politique de grande ampleur. Les démocrates ont voulu cette croisade pour montrer leur volonté de s'opposer nettement au communisme soviétique et à son avatar national, cherchant ainsi à couper l'herbe sous le pied de l'opposition républicaine en s'emparant de son thème favori, l'anticommunisme : ils ne sont pas des victimes innocentes mais des apprentis sorciers qui tombent dans le piège qu'ils ont eux-mêmes façonné.

En 1950, la Guerre froide bat son plein et la peur, encore diffuse, d'une subversion communiste généralisée s'empare des Américains. Dans ce climat, un obscur sénateur du Wisconsin, politicien roublard et menteur, se fait le champion d'un anticommunisme démagogique et parvient à provoquer un large mouvement d'opinion qui portera son nom : le maccarthysme. Car, si Joseph McCarthy (1909-1957) n'a pas « inventé » la chasse aux sorcières, c'est, à coup sûr, lui qui l'a exacerbée. Paradoxalement, le Parti communiste à ce moment ne compte qu'un nombre insignifiant de membres. Mais à l'époque, on parle de l'« influence » exercée par le Parti et ses sympathisants. Dès lors, n'importe qui peut être suspecté : le libéral devient un progressiste et le progressiste un communiste, donc un espion à la solde de Moscou.

De 1950 à 1954, le climat d'inquisition se développe. Le mouvement s'accélère alors, se gonfle : de commissions en sous-commissions, les enquêtes prolifèrent, la suspicion se généralise. En quelques mois, l'épidémie atteint un nombre incalculable de citoyens. D'interminables listes noires circulent. Ceux qui y figurent seront lourdement touchés : emplois perdus, carrières brisées, vies gâchées, honneur bafoué… Tous les secteurs sont concernés : la commission de l'énergie atomique mais aussi l'enseignement ; la radio et la télévision mais aussi le cinéma ; les syndicats mais aussi les milieux intellectuels. Il fallut que J. McCarthy s'attaque à l'armée pour que ses excès deviennent apparents : le Sénat finira par voter contre lui, en 1954, une motion de blâme qui marque la fin du maccarthysme, à tout le moins dans ses aspects les plus virulents.

MARIE-FRANCE TOINET

D. Roosevelt, en 1932, se présente aux élections en tant que conservateur. Il accuse le président Herbert C. Hoover (1929-1933) de prodigalité et promet que le New Deal comportera un budget en équilibre. À ce stade, le New Deal n'est encore qu'un artifice rhétorique de campagne électorale que la presse reprend et rend populaire. Les décisions politiques qui le constitueront,

provoquant une véritable révolution constitutionnelle et gouver-
nementale, sont en fait l'émanation de groupes d'intérêts multiples (économiques et sociaux) ayant infiltré le Parti démocrate
et trouvant là l'occasion de rédiger ou, à tout le moins, d'inspirer leur propre législation.

Durant cette période, la croissance du budget s'explique à la
fois par l'extension des domaines d'action de l'État fédéral (par
rapport au XIXe siècle) et par l'addition, dans le giron étatique,
de secteurs d'activités restés jusque-là du ressort de la société
civile. Si, pour faire face à la dépression, F. D. Roosevelt avait
simplement jugulé la crise en élargissant la portée des politiques
traditionnelles, sa réussite aurait déjà été remarquable. Mais la
« révolution Roosevelt » met en place des politiques redistribu-
tives et régulatrices, fort rares jusqu'aux années 1930 et encore
entachées d'un doute constitutionnel. Ces programmes instau-
rent une relation totalement nouvelle entre l'État fédéral et les
citoyens.

D'un point de vue constitutionnel, la « révolution
Roosevelt » représente en fait deux révolutions en une, dans la
mesure où politique de redistribution sociale et politique de
réglementation doivent être validées séparément par la Cour
suprême. Au début des années 1930, la Cour les déclare toutes
deux inconstitutionnelles en invalidant les lois les plus importantes du New Deal. Mais elle finit par céder devant la victoire
écrasante de F. D. Roosevelt aux élections présidentielles de
1937.

Une révolution faite de compromis

L'économie politique du New Deal ménage, en réalité, « la
chèvre et le chou », reflétant les coalitions qui forment la base
du Parti démocrate sous F. D. Roosevelt.

Les plus importants programmes de réglementation sont nettement « corporatistes ». Ils autorisent les intérêts concernés à
s'auto-organiser sous l'égide de l'État. Le *National Labor
Relations Act* (ou *Wagner Act*) est, lui, clairement « syndica-
liste » et concerne plus le syndicat que les syndiqués. Le
National Industrial Recovery Act et son importante agence, la
National Recovery Administration, se veulent ouvertement corporatistes. La réglementation concernant l'utilisation des terres

pour soutenir les prix agricoles l'est aussi, tout comme l'assouplissement des lois antitrust dans plusieurs secteurs de l'économie.

Mais ces politiques de réglementation sont, dans le même temps, éminemment progressistes. Les dirigeants du New Deal se montrent remarquablement tolérants à l'égard de la puissance (*bigness*) tant des grandes entreprises que des entités publiques. Mais ils sont fortement soucieux de réformes qui contraindraient ces puissantes organisations à se montrer plus responsables et plus solidaires. Ce progressisme se manifeste dans de nombreux secteurs comme les procédures administratives et budgétaires.

Plus tard, on attribua au New Deal une cohérence idéologique et intellectuelle qu'il n'eut jamais vraiment. Cette impression tenait en partie à la querelle de la constitutionnalité : en approuvant l'ampleur, le caractère coercitif et la portée locale des programmes rooseveltiens, la Cour suprême créa l'idée que le New Deal était un bloc. Peut-être ce sentiment de rationalité a-t-il tenu aussi à la montée, un demi-siècle plus tard, d'une opposition carrément conservatrice. Quant à savoir ce qu'était réellement le New Deal, la réponse ne peut être trouvée que dans le processus politique lui-même.

La guerre du Vietnam, « repoussoir » de la stratégie américaine

JACQUES PORTES

Depuis novembre 1982, le monument aux morts du Vietnam sur la promenade centrale de Washington est visité constamment et suscite une émotion visible ; deux autres sites rendent désormais également hommage aux Américains qui ont participé à cette guerre, l'un aux soldats, l'autre aux infirmières. C'est dire l'importance d'un conflit dont la mémoire est restée vive, comme le prouve également la controverse intervenue pendant la campagne électorale pour la présidentielle et les parlementaires de 2004 autour de l'attitude des candidats démocrates au cours de cette guerre.

Les États-Unis ont perdu 58 000 des hommes engagés dans cette guerre qui a duré officiellement de 1964 à 1973 et qui a été la première défaite de ce pays, non sur le plan militaire, mais au point de vue politique et stratégique.

Aucune raison profonde ne reliait les États-Unis au Vietnam au début des années 1950, mais le gouvernement américain avait financé à plus des trois quarts la guerre d'Indochine menée par la France, au nom de la lutte contre le communisme. Ce conflit de décolonisation (1945-1954) avait abouti au partage du pays en deux zones : communiste au Nord, anticommuniste au Sud. Dès lors, des membres des services de renseignement américains restés présents à Saïgon avaient soutenu Ngo Dinh Diem (1901-1963) comme président de la République du Vietnam (Sud-Vietnam). En 1956, le président américain Dwight D. Eisenhower s'oppose à la tenue d'une consultation sur la réunification du pays et envoie un millier d'hommes pour soutenir le nouveau régime dans le Sud et en faire une vitrine du « monde libre ».

À son arrivée à la Maison-Blanche en janvier 1961, John F. Kennedy est bien décidé à poursuivre cette politique, d'autant que les maquis communistes reprennent de l'activité au Sud-Vietnam avec comme but l'unification du pays : il envoie des conseillers militaires pour encadrer l'armée locale peu motivée et organise des opérations secrètes pour affaiblir l'adversaire. Mais, à la date de sa mort, le 22 novembre 1963, le président Kennedy n'est parvenu ni à consolider le régime de Diem, assassiné trois semaines avant lui, ni à réduire les combats, alors que 17 000 soldats américains et leur commandement autonome stationnent dans le pays.

Du barrage au communisme à la guerre

Le président Lyndon B. Johnson ne veut pas reculer devant les communistes et transforme ces opérations en véritable guerre. À la suite du mensonge sur l'incident du golfe du Tonkin (prétendue agression nord-vietnamienne contre des vaisseaux américains), il s'assure dès le 4 août 1964 du soutien du Congrès et envoie, à partir de l'année suivante, des troupes en renfort, alors que l'aviation bombarde les positions du Vietcong (maquisards procommunistes) et leurs bases de départ dans le

Nord, lequel bénéficie du soutien de l'Union soviétique et de la Chine. En 1968, 540 000 soldats des États-Unis se battront dans le pays dans une guerre sans gloire et sans autre enjeu que d'éviter la défaite dans le Sud, car l'état-major ne se risque pas un engagement direct au Nord. En 1968, lors de la fête du Têt (marquant le passage à une nouvelle année), les espoirs de victoire rapide sont balayés par l'offensive des troupes communistes sur les villes du Sud : cette attaque est repoussée après avoir menacé Saïgon.

Alors que l'opinion américaine est de plus en plus opposée à la guerre, en raison du nombre croissant de morts, le président Johnson décide d'arrêter l'escalade militaire et d'engager des négociations qu'il avait jusque-là toujours refusées. Richard Nixon, son successeur, veut terminer cette guerre sans perdre la face : d'un côté, il rapatrie progressivement les troupes, de l'autre, il renforce l'armée du Sud-Vietnam et intensifie les bombardements. En fait, les combats perdurent et les négociations s'enlisent, car les États-Unis ne se trouvent jamais en position de force pour faire céder l'adversaire : l'opinion américaine s'inquiète, le moral des troupes se détériore et les bavures se multiplient. Les manifestations des étudiants et de soldats revenus de la guerre se multiplient alors à Washington et New York : elles exigent une fin immédiate du conflit, même lorsque les risques d'être envoyé au Vietnam diminuent. Dans les autres pays occidentaux et au Japon, l'opposition à la guerre est puissante et les dénonciations de l'impérialisme américain stridentes, tout particulièrement en France en mai 1968.

Le président Nixon ne parvient pas à convaincre Moscou et Pékin d'intervenir auprès du gouvernement d'Hanoi. Ce n'est que fin 1972, après une offensive terrestre du Nord-Vietnam au Sud et une terrible campagne de bombardements américains, que les deux camps parviennent à un cessez-le-feu (accords de Paris du 27 janvier 1973) et au retour des prisonniers. Simple trêve à peine observée quelques mois. Le 1er juillet 1973, le Congrès américain interdit toute nouvelle opération militaire américaine en Indochine. Le 17 avril 1975, les Khmers rouges font leur entrée à Phnom Penh et une offensive éclair est déclenchée par les Nord-Vietnamiens le 9 mars. Le 30 avril, les colonnes de chars venus du Nord prennent Saïgon ; le Pathet Lao prend Vientiane le 30 août. Washington, paralysé par le scandale du Watergate, a laissé faire. Les derniers Américains et leurs collaborateurs vietnamiens fuient dans des conditions chaotiques. Le Vietnam est réunifié sous l'autorité du régime communiste d'Hanoi.

La seconde guerre indochinoise aura fait au total 2 à 3 millions de morts (dont 58 000 du côté américain), 2,5 millions de blessés et d'invalides (300 000 du côté américain) et des destructions incalculables au Vietnam. Les États-Unis n'ont, certes, pas subi de défaite militaire, ils avaient retiré toutes leurs troupes dès 1972, mais ils ont mené une guerre douloureuse sans réelle justification et ils n'ont pu empêcher la victoire du Nord-Vietnam communiste.

La plupart des Américains n'ont pas accepté le coût humain et matériel de cette guerre mal conçue, mal menée et vaine. Les opérations militaires suivantes des États-Unis ont eu comme référence de ne pas susciter un autre Vietnam et l'ombre de celui-ci pesait même, en 2003, sur la présence américaine en Irak.

La lutte pour les droits civiques

Ibrahim A. Warde

Au lendemain de la guerre civile que fut la guerre dite « de Sécession » (1861-1865), le 13e amendement de la Constitution américaine (1865) abolissait l'esclavage, le 14e (1868) proclamait l'égalité des droits et le 15e (1870) octroyait le droit de vote aux Noirs. Mais cette égalité sera toute théorique, et le droit de vote restera lettre morte durant des décennies. En effet, les États américains du Sud promulguèrent au cours des années suivantes les lois dites « Jim Crow » qui institutionnalisaient la ségrégation raciale et multipliaient les obstacles à la participation électorale des Noirs. Et dans son arrêt *Plessy c. Ferguson* rendu en 1896, la Cour suprême développa la théorie dite « séparés mais égaux » (*separate but equal*), qui eut pour effet de légitimer le système de la ségrégation raciale.

Du « Civil Rights Act » à l'« affirmative action »

Il fallut attendre les années 1950 et surtout les années 1960 pour que le mouvement en faveur des droits civiques connaisse ses premiers succès. En 1954, l'arrêt de la Cour suprême *Brown c. Board of Education of Topeka* juge inconstitutionnelle la ségrégation raciale dans les écoles publiques. Peu de temps après, un incident d'apparence anodine connaît des répercussions inattendues : le 1er décembre 1955, à Montgomery dans l'Alabama, une femme noire nommée Rosa Park refuse de laisser sa place dans un autobus à un Blanc. La communauté noire organise alors, sous la direction de Martin Luther King, un jeune pasteur qui prône la non-violence, un boycottage des autobus de la ville. En novembre 1956, la Cour suprême juge inconstitutionnelle toute ségrégation dans les transports en commun ; et, en 1957, le *Civil Rights Act* (loi sur les droits civiques) autorise le gouvernement fédéral à prendre toutes les mesures nécessaires pour protéger le droit de vote de l'ensemble des citoyens.

Cette même année, le pasteur King fonde la Southern Christian Leadership Conference (SCLC) en vue de fédérer un certain nombre de groupes revendiquant l'égalité des droits civiques. Cette organisation, souvent en association avec le Student Non-violent Coordinating Committee (SNCC), devient le fer de lance d'un mouvement qui prend une ampleur grandissante. En 1960 et 1961, les premières grandes marches sont organisées à Washington et dans d'autres villes américaines. Elles permettent de mobiliser la population noire ainsi qu'un nombre croissant de Blancs, en particulier parmi les étudiants, lesquels se rendent en masse dans les États du Sud pour aider les populations noires à s'inscrire sur les listes électorales.

L'autre volet du mouvement pour les droits civiques concerne l'*affirmative action*. L'expression, que l'on peut traduire par « discrimination positive » ou « traitement préférentiel », apparaît pour la première fois dans un décret signé en 1961 par le président John F. Kennedy (1961-1963). Elle signifie qu'une politique de compensation est nécessaire pour remédier à la discrimination passée, car l'égalité formelle et la reconnaissance des libertés fondamentales se sont jusque-là montrées insuffisantes pour assurer l'intégration des minorités historiquement opprimées. Ainsi, à compétences égales, le secteur public est tenu d'embaucher le candidat noir de préférence au candidat blanc.

Les avancées législatives de la présidence Johnson

Le mouvement des droits civiques connaît ses plus grands succès sous la présidence de Lyndon B. Johnson (1963-1969), qui avait fait de l'intégration politique, sociale et économique des Noirs (lesquels allaient constituer 13 % de la population américaine en l'an 2000) l'un des éléments essentiels de son programme pour une « grande société ». Le *Civil Rights Act* de 1964 interdit toute discrimination en matière de logement, d'emploi ou de participation électorale, et autorise le département de la Justice à refuser toute subvention fédérale aux collectivités locales coupables de discrimination. La même année, le 24e amendement de la Constitution bannit la *poll tax* (taxe électorale), qui décourageait les électeurs les plus pauvres de voter. Et en 1965, le *Voting Rights Act* interdit les « tests électoraux » (ceux par exemple qui imposaient comme condition préalable à l'éligibilité de vote un certain niveau d'alphabétisation).

Le mouvement pour les droits civiques (dont le leader incontesté, M. L. King obtient le prix Nobel de la paix en 1964) constitue alors une véritable force politique. En 1971, la Cour suprême donne son feu vert à une expérience de « *busing* », lancée en Caroline du Nord et destinée à forcer l'intégration scolaire. Le principe consiste à faire venir tous les jours, dans des autobus gratuits, les écoliers des quartiers noirs dans les écoles publiques à majorité blanche, et réciproquement. Malgré une forte opposition de la part des communautés locales, cette intégration forcée a lieu grâce à l'appui tant des tribunaux que des autorités fédérales.

D'autres catégories de populations – ethniques (hispaniques, asiatiques, etc.) ou non (femmes, homosexuels, handicapés, etc.) – adopteront par la suite le langage et les tactiques du mouvement des Noirs pour les droits civiques, et deviendront au fil des ans les bénéficiaires des lois contre la discrimination. Mais une contre-offensive finit par prendre forme. De nombreux Américains se rangent à l'idée que l'*affirmative action* constitue une discrimination à rebours. Certains procès à grand retentissement débouchent sur la clarification du principe – sinon sur l'affaiblissement de l'impact – du traitement préférentiel. Ainsi le « cas Bakke » (du nom d'un étudiant blanc dont l'admission avait été refusée par la faculté de médecine de l'université de

Californie alors que des étudiants noirs aux résultats scolaires inférieurs aux siens avaient été admis) aboutit à une interdiction des quotas d'admission sur une base raciale, sans toutefois contester le principe de l'intégration. D'autres acquis sont également critiqués. Ainsi, les opposants au « *busing* » ne manquèrent-ils pas de relever que sa conséquence principale a été la fuite des classes moyennes blanches vers l'enseignement privé ou vers les banlieues « homogènes ». En septembre 1999, un juge fédéral de Caroline du Nord a mis un terme au « *busing* », sous prétexte que la mission d'intégration était désormais accomplie.

1981-1991
Du « reaganisme » à la guerre du Golfe

JACQUES PORTES

Le président Reagan (né en 1911) est resté l'un des présidents les plus aimés des Américains : ceux-ci lui portent de l'affection, car il a su donner de lui-même une image d'homme simple et de bon sens, sans prétention intellectuelle, mais toujours chaleureux.

Ses deux mandats de 1981 à 1989 ont été marqués par une idéologie libérale sans nuance et par le retour de la Guerre froide. George Bush, son vice-président, lui succède et profite de la disparition de la menace soviétique avec l'effondrement de l'URSS et de son empire : il n'a toutefois pas la capacité d'imaginer une stratégie de remplacement et la guerre du Golfe de 1991 n'inaugure pas un ordre nouveau. Le succès de l'opération ne suffira pas à éviter sa défaite électorale en 1992.

Train de réformes économiques et sociales

Le concept de reaganisme est souvent employé pour définir les idées du président Reagan. Pourtant, l'homme, s'il est devenu le porte-parole d'un conservatisme renouvelé (refus du keynésianisme et affirmation de la politique de l'offre), n'a jamais été un théoricien ni un grand penseur. Selon la nouvelle administration, la croissance ne dépendrait pas tant de la demande des consommateurs que de l'efficacité et du meilleur coût de l'offre des produits et des services ; l'offre stimulerait alors la demande et ferait repartir l'économie, en panne depuis les chocs pétroliers de 1973 et 1979.

Ces principes apparaissent proches de la pensée néolibérale : les allégements de charges permettent aux entreprises de faire plus de profit et d'embaucher ; elles engendrent dès lors du pouvoir d'achat et la prospérité ruisselle en cascade sur l'ensemble de la société. Ces idées modernisées et modélisées sur ordinateur constituent la nouveauté du programme du courant le plus à droite du Parti républicain, en rupture avec le New Deal et les années 1960. La baisse des impôts est une mesure populaire et un allégement de la présence de l'État fait vibrer la fibre populiste des Américains ; de plus, le président s'attaque aux syndicats en licenciant en 1981 les contrôleurs aériens en grève. R. Reagan présente son projet comme une « révolution » dont il serait le seul organisateur, car la mise en scène compte beaucoup.

Dès 1981, une baisse des impôts de 25 % en trois ans est adoptée ; puis, afin de stimuler la concurrence, suit la déréglementation des établissements financiers et de certains services comme le téléphone. D'autre part, les caisses d'épargne sont autorisées à concurrencer les banques, ce qui conduira à leur coûteuse faillite dix ans plus tard, au détriment du budget fédéral. Le gouvernement est décidé à réduire les dépenses sociales, mais s'aperçoit vite que le gaspillage dénoncé ne pèse pas lourd. Le Congrès reste prudent en raison des réactions possibles d'électeurs attachés aux acquis sociaux et les pressions visant à faire abroger le droit à l'avortement n'aboutissent pas. La sécurité sociale et les retraites ne sont pas touchées, mais des coupes de l'ordre de 7 % frappent des programmes annexes.

L'ensemble de ces mesures vise à permettre le retour à un budget équilibré. Pourtant, les premiers effets de cette politique inquiètent beaucoup l'opinion et accentuent la dépression engendrée par la lutte constante de la Réserve fédérale (banque centrale) contre l'inflation : à court terme, l'objectif est atteint, au prix d'une augmentation de la pauvreté (14 % de la population en 1982).

Relance de la course aux armements

Le reaganisme consiste aussi à faire pièce à l'URSS et à redonner aux États-Unis une supériorité militaire supposée perdue. Il faut d'abord réarmer puisque, depuis 1972, le budget de la défense ne représente plus que 5 % du revenu national ; R. Reagan poursuit la politique commencée par le président Jimmy Carter depuis 1979 et l'invasion de l'Afghanistan par les Soviétiques, mais s'en attribue le seul mérite. En quelques années, les dépenses militaires atteignent 7 % du PNB ; l'urgence des commandes entraîne l'inflation des coûts et, paradoxalement, le budget fédéral ainsi gonflé représente un quart du PNB en 1983. Le rôle de l'État ne diminue pas, en dépit de la rhétorique officielle.

À partir de 1983, la reprise économique est vigoureuse, avec une activité boursière euphorique jusqu'en 1987 : cette évolution résulte de la baisse des impôts, favorable aux investissements, mais aussi du déficit budgétaire lié au gonflement des dépenses militaires dans un contexte de tensions internationales. R. Reagan reconnaît tardivement l'ampleur des changements initiés par Mikhaïl Gorbatchev en URSS, avant d'entrer dans le cycle du désarmement.

Le second mandat du président Reagan continue sur la même voie, mais est obscurci par le scandale de l'Irangate qui prouve que, en dépit de ses principes, le président n'a pas hésité à négocier avec l'ennemi iranien pour armer la guérilla anticommuniste nicaraguayenne (la *Contra*). Toutefois, la responsabilité du président n'est pas prouvée et, en janvier 1989, il se retire la tête haute (depuis 1994, il est atteint par la maladie d'Alzheimer).

Le bilan du reaganisme est mitigé : il est à l'origine d'une évolution suivie par d'autres pays comme le Royaume-Uni, mais il a contribué à un déficit budgétaire dont la résorption demandera plus de dix ans. Bien que limitée, la diminution des dépenses sociales aura de graves conséquences pour les couches les plus pauvres.

Un nouvel ordre mondial

George Bush (né en 1924) profite de la croissance retrouvée et de sa loyauté envers le président Reagan ; il avait également fait une brillante carrière dans l'industrie pétrolière au Texas et dans la fonction publique (il a dirigé la CIA), mais affiche un conservatisme modéré. Sans en être directement responsable, il devient l'incontestable vainqueur de la Guerre froide puisque la destruction du Mur de Berlin est suivie de la dissolution du bloc de l'Est. La coûteuse course aux armements lancée par son prédécesseur a contribué à affaiblir l'URSS, mais les fragilités internes du régime soviétique expliquent largement son effondrement. En 1987, la signature du traité de Washington concernant les forces nucléaires intermédiaires (FNI) déployées en Europe constitue le premier véritable accord de désarmement nucléaire entre l'Union soviétique et les États-Unis.

En août 1990, une grave crise internationale s'ouvre à la suite de l'invasion du Koweït par les troupes irakiennes du président Saddam Hussein : ce dictateur qui avait été soutenu par les États-Unis dans sa guerre contre l'Iran, pensait agir en toute impunité. Or, le président Bush décide d'autant plus de réagir que la mainmise de l'Irak sur les réserves pétrolières du Koweït déséquilibrerait le marché et menacerait l'Arabie saoudite, fidèle alliée des États-Unis. Le président américain met sur pied une vaste coalition internationale et, en trois mois, plus de 550 000 hommes sont envoyés dans la région : la guerre ne dure que quelques jours en janvier-février 1991 et les Irakiens, affaiblis par des bombardements, évacuent le Koweït en catastrophe. G. Bush refuse d'envahir l'Irak et de renverser Saddam Hussein : le pays sera soumis au régime des sanctions de l'ONU.

Fort de cette double victoire, le président Bush bénéficie d'une immense popularité dans son pays, ce qui l'empêche de porter suffisamment d'attention au ralentissement de la croissance, entraînant une montée du chômage, et au déficit budgétaire grandissant. Par ailleurs, il ne parvient pas à définir de nouveaux défis pour les États-Unis après la fin de la Guerre froide. Ces deux raisons expliquent la campagne électorale moyenne qu'il mène en 1992 face au brillant démocrate Bill Clinton et au milliardaire Ross Perot, qui se présente en indépendant. B. Clinton l'emportera, inaugurant huit ans de présidence démocrate.

1992-2004
Les fragilités d'une puissance sans rivale

Jacques Portes

La disparition de la menace soviétique a placé les États-Unis dans une situation nouvelle : celle d'unique grande puissance mondiale, ce dont la guerre du Golfe de 1991 aura fourni la première illustration.

Lors de l'élection présidentielle de 1992, Bill Clinton (né en 1946 et formé dans les années 1960) a bénéficié de la légère récession qui a suivi l'euphorie de la guerre du Golfe et dont il a fait porter la responsabilité à son prédécesseur, George H. Bush (1989-1993). Mais avant même la date de l'élection, la conjoncture économique s'était améliorée, ouvrant une période de croissance qui durera jusqu'au printemps 2001 : dix millions d'emplois ont été créés dans le pays et le rêve d'une « nouvelle économie », fondée sur la montée en puissance des nouvelles technologies de l'information et de la communication – NTIC – dans un contexte de marchés « globalisés » et devant engendrer une croissance sans fin ni crise, semblait prendre corps aux yeux de certains observateurs. Les Américains ont bénéficié d'une amélioration de leurs conditions de vie alors que toutes les activités liées à l'informatique et à la communication connaissaient un essor extraordinaire. La révolution causée par Internet semblait pérenne et a conduit à l'émergence de nouvelles compagnies comme AOL (America Online, fournisseur d'accès à Internet), Yahoo (services en ligne et puissant moteur de recherche) ou Amazon (vente de livres, disques, jeux vidéo... sur Internet). Elle a aussi engendré une spéculation effrénée sur les nouvelles valeurs technologiques, suscitant une bulle boursière.

Les ambiguïtés des politiques Clinton

Propagandistes du nouveau dogme de l'économie libérale, les Américains ont renoncé aux principes inspirés du keynésianisme qui avaient fait leur force et leur prestige. Le président Clinton a, par exemple, cédé au marché en renonçant en 1994 à son ambitieux projet de réforme du système de santé, car le secteur médical refusait tout contrôle étatique, comme il le fera, deux ans plus tard, en décentralisant la protection sociale du *Welfare* : les programmes d'aide aux personnes âgées et aux plus pauvres, conçus par le gouvernement fédéral dans les années 1960, sont désormais gérés de façon plus autonome mais inégale par les États dans le but d'inciter les bénéficiaires à travailler au plus vite et de casser la « culture de l'assistance », fréquemment stigmatisée aux États-Unis. Le pays a connu une croissance soutenue avec une baisse du chômage, lequel a atteint son niveau le plus bas en 1999 avec 4 %. L'accroissement des inégalités de revenus et des situations, comme le caractère précaire de nombreux emplois ont constitué le versant négatif de cette politique, les syndicats ayant eu bien du mal à se faire entendre.

Sur le plan international, l'ouverture des marchés est restée un objectif majeur, conditionnant les diverses initiatives américaines : en Amérique avec le lancement d'un projet de Zone de libre-échange des Amériques (ZLEA), faisant suite à l'ALENA (Accord de libre-échange nord-américain) conclu avec le Canada et le Mexique et entré en vigueur en 1994 (pour obtenir ce résultat, le président Clinton s'est là aussi opposé aux syndicats) ; vers l'Union européenne avec les négociations très tendues de 1993 sur la libéralisation du commerce international et la création de l'OMC (Organisation mondiale du commerce) ; vers la Chine, dont l'ampleur du marché fascine et au sujet de laquelle les perspectives de développement commercial faisaient passer au second plan la question du respect des droits de l'homme.

Le « manque de boussole » des années 1990 a conduit à des incohérences et le président Clinton a connu de sérieuses difficultés dans la conduite de sa politique étrangère : en 1994, honteux retrait de Somalie – en proie à la guerre civile – à la suite d'une intervention militaro-humanitaire décidée par l'ONU ; intervention tardive mais décisive dans les négociations pour la paix en Bosnie-Herzégovine (accords de Dayton de 1995), puis, quatre ans plus tard, envoi de troupes au Kosovo dans le cadre d'une intervention de l'OTAN.

L'échec du projet de réforme du système de santé a sonné le glas des grandes ambitions intérieures et le président démocrate n'a pu empêcher une majorité républicaine dominée par des conservateurs déterminés de s'installer au Congrès en 1994. En se présentant comme le protecteur des citoyens, B. Clinton a poussé les conservateurs à la faute et les a contraints au compromis, d'autant qu'il avait repris à son compte certains de leurs thèmes comme l'équilibre du budget fédéral. B. Clinton a été réélu facilement en 1996 contre le pâle candidat républicain Bob Dole, alors que tous les observateurs le donnaient battu l'année précédente.

Le second mandat de B. Clinton a été gravement compromis par la procédure d'*impeachment* qui fut lancée contre lui, à la suite de la mise au jour en 1998 de sa liaison avec Monica Lewinsky, une jeune stagiaire de la Maison-Blanche. Finalement, B. Clinton a sauvé de justesse son fauteuil, mais est resté affaibli, surtout face à une majorité républicaine survoltée : il a néanmoins tenté avec obstination de rapprocher les positions israélienne et palestinienne lors des entretiens de Camp David II, puis en patronnant ceux de Taba (Égypte) en janvier 2001, mais sans résultat.

L'élection présidentielle de 2000 a accordé la majorité des voix à Al Gore, le candidat démocrate qui avait été vice-président de B. Clinton, mais son rival républicain George W. Bush, fils de George H. Bush né en 1946, a fini par l'emporter, au terme de quatre décomptes des suffrages, grâce aux grands électeurs et en raison de l'intervention de la Cour suprême. Le nouveau président a rapidement affiché des convictions plus conservatrices que celles de son père : projet de « bouclier antimissiles » permettant de détruire en plein vol tout missile visant les États-Unis, ses « alliés » ainsi que les pays « amis » ; refus de Washington de ratifier le protocole international de Kyoto (adopté en décembre 1997) sur la réduction des émissions de gaz à effet de serre et refus de signer la convention de Rome permettant de fonder la Cour pénale internationale (CPI, entrée en vigueur en 2002) ; mesures protectionnistes pour la sidérurgie et l'industrie cotonnière américaines et assouplissement des contraintes écologiques pour le forage dans les parcs nationaux. Ces mesures « unilatéralistes » ont indisposé les meilleurs alliés des États-Unis.

La fin de l'inviolabilité du territoire

Les attentats du 11 septembre 2001 contre les tours jumelles du World Trade Center à New York et le Pentagone à Washington (3 000 morts) ont produit un choc incommensurable aux États-Unis. La guerre menée par une « coalition antiterroriste » internationale en Afghanistan à la fin de l'année 2001 contre le régime des taliban, qui avait accueilli le réseau terroriste Al-Qaeda, a prouvé la détermination du président américain et constitué une riposte compréhensible, sans toutefois que la reconstruction de l'Afghanistan soit assurée. Mais la désignation de « pays voyous » (*rogue states*) et d'un « axe du mal » a amené G. W. Bush à ne considérer, dès lors, comme les alliés des États-Unis que les pays acceptant de le suivre dans cette politique. Les États-Unis ont ainsi décerné des « brevets démocratiques » au Pakistan, qui était voué aux gémonies peu auparavant, à la Russie de Vladimir Poutine, en dépit des massacres perpétrés en Tchétchénie (séparatiste), et renouvelé le satisfecit qu'ils avaient attribué à l'Arabie saoudite, bien que la majorité des terroristes du « 11 septembre » en aient été originaires. Dans le même temps, les reproches se sont faits plus acerbes à l'égard de Cuba, mais aussi envers les pays qui osaient critiquer la politique américaine.

La guerre préventive en Irak intervenue en mars 2003 a été menée au nom de la lutte contre le terrorisme, Bagdad étant accusé de posséder des armes de destruction massive, mais aussi avec l'ambition déclarée de répandre la démocratie dans les pays voisins du Moyen-Orient. La victoire militaire a été rapide, grâce aux énormes moyens engagés par l'armée américaine, mais, face à des forces irakiennes esquivant le combat, l'occupation du pays a soulevé de nombreuses difficultés et résistances (notamment armées) éloignant les perspectives de passage à la démocratie à très court terme. À la même période, le conflit israélo-palestinien ne semblait pas non plus devoir se conclure par un retour à la paix, dans un contexte démocratique, à brève échéance. Aux États-Unis mêmes, les droits de l'homme semblaient mis de côté lorsqu'il s'agissait de placer en détention des personnes soupçonnées d'appartenir à un réseau terroriste, à l'exemple des prisonniers faits lors de la guerre en Afghanistan, isolés sur la base américaine de Guantanamo à Cuba. La juge

Sandra O'Connor de la Cour suprême a déclaré, après les événements de septembre 2001, que son pays pourrait « connaître plus de restrictions des libertés personnelles que jamais auparavant ».

Ainsi, la politique internationale des États-Unis paraissait-elle cultiver, dans cette période, des contradictions pouvant nuire à sa réussite et au respect de valeurs fondatrices du pays. L'opinion américaine semblait peu consciente de ce problème, acceptant, dans sa large majorité, la politique suivie par l'équipe du président Bush.

Les premières années du XXIe siècle auront amorcé un profond changement : les attentats du 11 septembre 2001 ont marqué la fin de l'inviolabilité du territoire national mais, en même temps, la puissance militaire et stratégique du pays inspire au président G. W. Bush une confiance surprenante dans l'invulnérabilité des États-Unis.

3

Mythes et fondements

Qu'est-ce qu'un Américain ?

RONALD KOVEN, DINAH LOUDA

« Quel est donc l'Américain, ce nouvel homme ? » se demandait déjà au XVIIIᵉ siècle un Français d'Amérique, Michel de Crèvecœur (écrivant sous le pseudonyme de Hector St John, pour faire plus anglo-saxon). Il croyait alors pouvoir répondre, mais l'Américain d'aujourd'hui se pose toujours la question. S'il n'est plus le WASP (*White Anglo-Saxon Protestant*) imbu des valeurs puritaines, l'Américain a au moins longtemps eu la certitude d'être un Blanc avec des racines européennes identifiables qui se faisaient sentir comme des jambes amputées. Or, en avril 1990, *Time Magazine* représentait en couverture un drapeau américain dont les rayures blanches étaient remplacées par du noir, du brun et du jaune. Et de s'interroger : « À quoi ressembleront les États-Unis quand les Blancs ne formeront plus la majorité ? »

Car l'Amérique est plus que jamais une terre d'immigration. On estime qu'au moins 1,5 million d'immigrés y arrivent chaque année, de façon légale ou clandestine, originaires pour la plupart d'Amérique latine ou d'Asie. Après chaque grande convulsion révolutionnaire dans le monde, les principales villes américaines s'enrichissent de nouveaux restaurants dits « ethniques ».

Identification à la communauté ethnique

Le fameux *melting pot*, le creuset américain, ne fonctionne plus comme mécanisme d'assimilation. Au lieu de s'amalgamer, les éléments mêmes que l'on croyait tout à fait assimilés se séparent, et l'Amérique ressemble de plus en plus à une mosaïque de communautés distinctes. Jusque dans la première moitié du XXe siècle, l'objectif des immigrés était de devenir américain le plus vite possible, de vivre l'*American Dream* et d'oublier le Vieux Monde, ressenti comme moralement corrompu, pour une vie meilleure… Désormais, le pays est en passe de devenir une fédération, non seulement au sens institutionnel et juridique du terme, mais aussi au sens communautaire. L'Américain est aussi un Vietnamien, un Indien (d'Inde) ou un Mexicain. Quant à sa religion, la trinité traditionnelle protestants-catholiques-juifs est rejointe par une nouvelle triade musulmans-bouddhistes-hindous. On parle sérieusement de la tiers-mondisation des États-Unis.

Pourtant, dans cette Amérique où les communautés renforcent souvent leur identité aux dépens de l'identité américaine, la tiers-mondisation ne mène pas forcément au métissage. C'est plutôt le modèle brésilien qui s'applique : l'élite se mélange un peu, mais la masse des pauvres Noirs reste, laissée pour compte, dans ses *favelas*. Le président George Bush (père) a prétendu qu'un jour viendra où tout naturellement un Noir deviendra président des États-Unis. C'était politiquement habile, peut-être même vrai. Mais cela n'engageait à rien. Chaque nouveau groupe qui arrive aux États-Unis commence au bas de l'échelle sociale – là où se trouvent les Noirs. Et chacun finit par les dépasser, les laissant avec leur amertume et leur apparente incapacité à reconstituer un tissu social systématiquement déchiré par les esclavagistes. Les exceptions comme celle du secrétaire d'État (ex-chef d'état-major des armées), Colin Powell, ou celle de sa collègue directrice du Conseil national de sécurité,

Condoleezza Rice, ne servent qu'à souligner la situation désespérée des ghettos noirs dans cette Amérique à deux vitesses où ils stagnent, dans le chômage, le désert culturel et la drogue.

Certes, les Noirs ont eu, comme les autres communautés américaines, leurs dirigeants légendaires, comme Martin Luther King. Le fait que des Noirs aient été élus à des postes de gouverneur (Douglas Wilder dans l'ancien État sudiste de Virginie) ou de maires de presque toutes les grandes métropoles apparaît d'ailleurs comme l'aboutissement normal d'une évolution elle aussi normale. Et l'on ne demande plus aux Noirs qui entrent dans l'*establishment* politique d'être des parangons de vertu. On leur pardonne leurs déboires avec la justice, l'alcool, la drogue et des entourages corrompus.

Americano-pessimisme ?

La Guerre froide s'était terminée au bon moment. Après la défaite du Vietnam, doublée d'autres humiliations en Iran et au Liban, les Américains ne concevaient manifestement plus qu'ils avaient pour mission divine et planétaire de promouvoir la démocratie. D'où la popularité, surprenante dans un pays réputé « battant », de livres comme celui de Paul Kennedy sur le déclin séculaire et inévitable de l'Amérique, ou celui d'Allan Bloom sur son affaiblissement intellectuel. Où était donc passée la confiance en soi, voire l'autosatisfaction qui avaient longtemps caractérisé les Américains ?

À ce « passage vide » a succédé la montée en puissance des néoconservateurs en position de force au Pentagone. Ceux-ci ont saisi l'occasion des attentats du 11 septembre 2001 contre les tours jumelles du World Trade Center à New York et contre le Pentagone à Washington pour faire abandonner en un rien de temps à George W. Bush son vœu électoral de ne plus faire de « *nation building* ». Mais les guerres en Afghanistan (2001) et en Irak (2003) – avec leurs promesses de créer des démocraties à l'américaine dans le monde musulman – ont fait renaître un sentiment de pessimisme quant à la capacité américaine d'implanter les valeurs *yankees* à l'extérieur. La tentative néoconservatrice de refaire le Moyen-Orient est une histoire que les Américains entendent avec des bégaiements tant que le mot de la fin de cette nouvelle mission au monde ne sera pas connu.

Une des grandes ironies des années Reagn est sans doute la façon dont le président – pur produit des mythes hollywoodiens, dont celui de la centralité du fermier dans l'ordre moral, base même du Western – a donné le coup de grâce à la ferme individuelle dans l'agriculture, alors que ces fermiers étaient encore imbus des grandes valeurs américaines : le travail et le sacrifice sont payants, non seulement dans l'au-delà, mais ici-bas. Si le travail bien fait n'est plus récompensé, si le Western se termine mal pour la famille assiégée, où va-t-on ? Le mythe américain ne se porte pas mieux dans le domaine industriel. Akio Morita, fondateur de Sony, le géant japonais de l'électronique, avait visé juste en rappelant aux Américains une vérité première : le but essentiel de l'économie est de produire des choses, non pas du papier fiduciaire.

En matière politique, les Américains ont appris, avec le Watergate et l'Irangate, que le mensonge n'était pas l'apanage des seuls gouvernements étrangers. Ils se soucient d'ailleurs de moins en moins de la grande politique. Les commentateurs américains ne manquent pas de faire le lien entre l'indifférence devant les grands événements qui arrivent hors du pays et l'abstentionnisme grandissant aux élections. Les citoyens ne s'intéressent apparemment qu'aux affaires strictement locales. « Nous n'avons pas gagné la Guerre froide » lit-on dans le *Washington Post*, « ce sont nos adversaires qui l'ont perdue. Nous ne savons plus pourquoi nous luttions… nous n'avons plus de sens de l'orientation… nous ne savons plus quoi faire… » Dans une Amérique qui doute, atteinte par le relativisme moral, où le hamburger/hot-dog est chaudement concurrencé par le pâté impérial/sandwich-falafels, quel est donc cet ex-nouvel homme ? S'il n'a plus les certitudes protestantes des Pères fondateurs, ni le même fonds de références culturelles occidentales héritées du judéo-christianisme et des Lumières, que reste-t-il de l'identité nationale, des valeurs communes et des mythes unificateurs ?

Des valeurs qui persistent

Le nouveau cynisme – faiblesse dont les Américains étaient volontiers portés à croire qu'elle était le propre des Européens – n'a pourtant pas tout balayé. Les fameux *yuppies* se sont bel et bien rendus coupables de pratiques illégales et des péchés économiques décriés par Morita. Mais les « nouveaux » Américains du tiers monde n'ont pas oublié que la base de l'économie, c'est de produire des biens et des services. Pour eux, le mythe du pauvre garçon qui fait fortune grâce à son travail a encore un sens ; pour eux, comme pour la plupart des Américains, d'ailleurs, l'argent n'a pas d'odeur, et reste le critère principal de la réussite sociale. Résultat : l'Amérique reste allergique à la notion de classes. L'initiative individuelle face à la collectivité, qu'elle s'exerce en bien ou en mal, reste toujours l'idée centrale.

Les Pères fondateurs étaient convaincus que l'État est en soi répressif. Leur maxime, le meilleur des gouvernements est celui qui gouverne le moins, ne pouvait que trouver un écho favorable auprès des Irlandais catholiques opposés au Royaume-Uni protestant, ou des juifs fuyant les brimades de la grande Russie orthodoxe et tsariste. Une bonne partie des transfuges du tiers monde en demeure convaincue. L'origine même des États-Unis se trouve dans une société civile qui précède l'État. Celui-ci n'est qu'une contrainte librement consentie qui peut toujours être récusée. La *Déclaration d'indépendance* insiste sur l'antériorité du droit naturel sur le droit d'État. Pourquoi s'étonner, alors, si les Américains considèrent que les *lobbies*, représentant des intérêts restreints, ont toute légitimité pour concurrencer l'intérêt général ? Les Américains ont inventé une multitude d'entreprises d'entraide privée. Le protestantisme prône non seulement le profit, mais aussi le volontariat, une forme de responsabilisation qui mène tout droit au civisme. Pour ne citer qu'un exemple, la plupart des feux sont encore éteints par des brigades de pompiers volontaires.

Le pragmatisme règne, comme l'hostilité aux idéologies. Même la violence au cinéma et à la télévision est en partie une autoprotection face à la violence très réelle de la vie quotidienne des grandes villes. Ainsi s'explique aussi la très grande tolérance vis-à-vis de la précarité de l'emploi, de la situation familiale, du lieu de résidence, mais aussi dans d'autres domaines : peu d'Européens comprennent l'attitude de l'American Civil Liberties Union (ACLU), le pendant de la Ligue des droits de l'homme française. Face à des expressions d'antisémitisme, de racisme et de néonazisme, la Ligue réclamera des lois répressives, alors que l'ACLU défendra le droit de chacun à s'exprimer, à condition de ne pas passer à l'acte. De même, en l'absence de ce que l'on appelle un « danger clair et immédiat », la justice répugnera à sévir contre un adepte de Faurisson ou contre un nazillon.

On peut y voir une des conséquences du pluralisme religieux, qui ressort de la structure même des mouvements protestants. Là où l'offre est multiple, la liberté du marché des idées s'impose. Pour un Américain, l'affaire du foulard islamique qui, en France, a défrayé la chronique à plusieurs reprises est incompréhensible, car la séparation de l'Église et de l'État aux États-Unis est sans rapport avec la notion de laïcité ; elle résulte de la nécessité d'être tolérant face à la multiplicité des cultes.

La fragmentation de la société suscite la création de toutes sortes de sous-cultures, ce qui permet aux valeurs anciennes de s'exprimer et d'échapper au conformisme ambiant. La diversité est source de démocratie : chaque Américain est plus ou moins libre de créer sa propre Amérique, assez différente de celle du voisin. Nécessité faisant vertu, la démocratie américaine reste unique en son genre. Malgré l'apparence de conformisme, d'absence de débats d'idées, la multiplicité américaine est telle que le vrai d'aujourd'hui peut être le faux de demain. L'Amérique est sujette à des modes, à des sursauts déconcertants pour ses partenaires, certes. Elle ne se fige pas. Avec ou sans mission universelle, selon les moments, elle devient un pays normal. Mais normal avec sa différence, fondée sur ses différences.

Ce nouvel homme, alors ? Il a sans doute pris un coup de vieux. Il a fini par comprendre que ses forces ont des limites. Mais toujours bon pied, bon œil...

L'exceptionnalisme

Rémi Clignet

Politologues et sociologues américains ont noté que les déterminants et les formes du développement économique et social ne sont pas les mêmes aux États-Unis et dans les divers pays d'Europe occidentale. Leur pays ferait exception, à la fois pour des raisons psychosociologiques – l'individualisme n'ayant pas les mêmes qualités dans l'Ancien et le Nouveau Monde – et politiques, les cadres juridiques de la vie sociale étant différents des deux côtés de l'océan.

De telles allégations ne sont pas sans arrière-pensée. L'exception américaine se veut utopie, organisation sociale libérée des précédents européens. Elle se veut aussi exemplaire, phare sur lequel les responsables des autres pays devraient se guider pour accélérer la modernisation de leur société.

S'accomplir soi-même

L'Amérique offre sa chance à chacun. Pour la mériter, l'individu doit être prêt à aller au-delà de son horizon géographique ou psychique. D'où l'importance du mythe de la Frontière. Celui-ci n'est pas seulement spatial. Quand l'anthropologue Margaret Mead disait de ses concitoyens qu'ils étaient des « immigrants dans le temps », elle faisait allusion au mythe du progrès et des lendemains meilleurs dans la vie sociale. Contrairement aux Européens, les Américains se réjouissent que « pierre qui roule n'amasse pas mousse ». La Frontière dispense de bagages symboliques encombrants. En accepter l'esprit, c'est accepter de naître « moderne » et de voir dans le caractère inéluctable du progrès une source primaire de légitimité.

La solidarité entre générations est rejetée, de manière implicite ou explicite, puisqu'elle va à l'encontre de l'expérimentation individuelle et personnelle. L'expression populaire « il s'est fait tout seul » salue l'éternel recommencement des générations successives.

L'égalité des chances que la société offre à chacun suppose que l'idéologie du *melting pot* se traduise en termes individuels. Chacun doit oublier sa culture d'origine. Les divers pays – européens, asiatiques, sud-américains – n'ayant jamais « exporté » leurs enfants en même temps, chaque groupe de nouveaux venus a commencé et doit toujours commencer au bas de l'échelle. Pour réussir, il faut accepter d'effacer en soi les traces du passé. On monte dans l'échelle sociale au fur et à mesure que l'on devient américain.

Tous ces idéaux reposent donc sur une conception activiste de la personne et l'exceptionnalisme américain est ainsi largement fondé sur le besoin de s'accomplir. Certains analystes ont estimé, dans les années 1950, que ce besoin serait susceptible d'être stimulé et c'est sans doute dans cet esprit qu'universités et organismes de coopération internationale ont offert des séminaires de dynamique de groupe aux pays du tiers monde en vue d'accélérer la mobilisation de leur capital humain.

Toujours selon les spécialistes américains, une forme décentralisée de gouvernement s'impose pour que les motivations individuelles s'adaptent au style exceptionnel et exemplaire de la croissance américaine. La décentralisation géographique permet d'identifier expérimentalement la solution aux problèmes de société la mieux adaptée aux contingences changeantes de chaque milieu. Avant tout, elle oblige les gouvernants à être attentifs aux désirs et aux craintes de leurs mandants.

La loi d'airain du « laisser-faire »

Le succès d'une telle décentralisation implique que l'accent soit mis sur le pouvoir des associations volontaires au niveau local, parce qu'elles symbolisent la prééminence attribuée aux intérêts particuliers dans le processus de développement social. Leur efficacité requiert une forme de gouvernement qui encourage les libertés formelles, notamment la liberté d'association et celle de la presse. Le développement social et économique serait en effet lié à une politique de « laisser-faire » qui accepte le verdict des lois du marché dans *tous* les domaines de la vie sociale. Le succès américain viendrait de la libre mobilisation de ses citoyens au sein d'associations donnant le meilleur d'elles-mêmes du fait du libéralisme des autorités publiques.

La décentralisation américaine implique en outre une nette séparation des pouvoirs exécutif, législatif, et judiciaire, qui peuvent se contrôler mutuellement. Elle empêche les abus imputables à une croissance pathologique des bureaucraties gouvernementales. De fait, l'Amérique s'enorgueillit d'avoir su limiter la taille des services publics, au niveau des États comme au niveau de la Fédération. Elle est fière aussi d'avoir su faire adopter ou imposer le même modèle politico-juridique aux pays vaincus de la Seconde Guerre mondiale comme à certains États clients du tiers monde. Et, à la fin des années 1980, la privatisation restait un des mots d'ordre du messianisme américain pour exorciser les obstacles que d'autres pays ont rencontrés dans leur quête de croissance harmonieuse.

Refus de l'extrémisme

Finalement, l'exceptionnalisme viendrait aussi de l'histoire des États-Unis et serait plus particulièrement lié à l'absence de structures féodales (les premiers colons anglais cherchèrent à les éliminer au cours des premières années de la République). Comme les entreprises n'ont jamais eu entière liberté de maximiser outrageusement leurs profits (*cf.* les lois antitrust), les partis politiques ou les syndicats par trop marqués à gauche n'ont pas trouvé le terrain nécessaire à leur développement. Somme toute, l'exceptionnalisme américain viendrait de la capacité de ses citoyens à éviter la polarisation des classes sociales. Le rejet des extrêmes aurait limité la formation de dépendances individuelles excessives et évité le blocage des bénéfices tirés du développement économique dans des activités non productives. L'autosuffisance serait ainsi la dernière des notions clés de l'exceptionnalisme.

Espérer l'américanisation du monde reviendrait donc à souhaiter la mise en place de structures économiques et politiques favorisant le privé au détriment du public, la modération politique au détriment des extrêmes, afin de mieux mobiliser les intérêts particuliers et de les adapter à un monde toujours en mouvement.

L'empreinte religieuse

CLAUDE FOHLEN

Les Américains, quelle que soit leur appartenance confessionnelle, manifestent un sentiment religieux qui imprègne toute leur histoire. Les premiers colons croyaient que le Nouveau Monde était un continent vierge et immaculé, la Terre promise de la Bible et qu'il leur appartenait d'y réaliser le royaume de Dieu. C'est notamment pour cette raison que les Indiens, considérés comme des infidèles, furent brutalement exclus et voués pendant trois siècles à l'extinction.

De tous les colons, les plus pénétrés de cette mission sont les puritains. Faute d'avoir pu implanter le royaume de Dieu aux Pays-Bas, ces non-conformistes, anglais d'origine, traversent en 1620 l'Atlantique sur le *Mayflower* et établissent à Plymouth le

Les amish

Secte protestante anabaptiste d'origine allemande, dont les premiers membres arrivent aux États-Unis en 1727, et qui subsiste encore, autant que faire se peut, comme au XVIIIᵉ siècle, dans ses principaux traits : habillement, logement, transport et agriculture. Les Amish étaient environ 128 000 (dont 56 000 adultes) en 1990, établis pour l'essentiel en Pennsylvanie, en Ohio et en Iowa. Ils vivent principalement de l'agriculture, qu'ils pratiquent à l'ancienne : excellents fermiers, ils sont fortunés. Pratiquants implacables d'une Bible strictement interprétée, ils refusent pourtant de payer à César ce qui lui est dû (pas de service militaire, pas d'école obligatoire et pas d'impôts) et ont été souvent emprisonnés pour refus d'obéissance aux lois. On les croisera – les hommes avec le chapeau noir et rond, barbus, la lèvre supérieure rasée, les femmes en chignon avec bavolet et bonnet, tous habillés de sombre – penchés sur la charrue tirée par de robustes percherons ou allant à l'office dans de charmants cabriolets aux chevaux fringants sur les routes départementales des comtés de York et de Lancaster (Pennsylvanie) ou au sud d'Iowa City (Iowa).

MARIE-FRANCE TOINET

berceau du royaume de Dieu. À la différence des autres émigrants, ils ont signé un texte, le *Compact*, en vertu duquel ils s'engagent à créer un gouvernement indépendant, qui ne relève que de Dieu. C'est la première manifestation d'un sentiment religieux qui ne cesse d'animer les sectes (*denominations*) variées qu'englobe le puritanisme : baptistes de Roger Williams dans le Rhode Island, antinomiens d'Anne Hutchinson dans le Connecticut, chacune crée sa propre colonie, avec ses lois et son gouvernement. Le royaume de Dieu est loin d'être pacifique, comme l'attestent le procès et l'exécution des sorcières de Salem (1692-1693).

Certes, en dehors de la Nouvelle-Angleterre, l'empreinte religieuse est moins marquée : les planteurs du Sud dans leur majorité demeurent fidèles à l'anglicanisme ; dans le centre, l'expérience la plus originale est celle de Pennsylvanie où s'installe la Société des Amis (les quakers) animée par William Penn, dont l'esprit d'ouverture et la tolérance s'opposent au fanatisme des puritains.

Ce qui rend l'expérience américaine unique, c'est la diversité des pratiques religieuses, au moment où dans l'Ancien

Monde, les sujets étaient obligés d'adhérer à la religion de leur prince. Dans les colonies américaines domine le protestantisme, avec toutes ses *denominations* qui vont des congrégationnistes (puritains) aux épiscopaliens (anglicans), en passant par les presbytériens (calvinistes écossais), les mennonites (protestants allemands), les huguenots, les quakers, plus tard les méthodistes et bien d'autres sectes, en attendant les mormons. Ils cohabitent avec des catholiques qui s'établissent dès 1632 dans le Maryland et à New York, et des juifs séfarades installés en Pennsylvanie et dans le Rhode Island. Tous pratiquent ouvertement leur culte, même si certaines colonies leur dénient les droits politiques.

Liberté de conscience

Dans cette mosaïque où la piété se donne libre cours, l'exaltation du sentiment religieux se caractérise par des implosions qui scandent régulièrement l'histoire américaine et se répercutent sur la vie publique. Au milieu du XVIIIᵉ siècle, le Grand Réveil (*Great Awakening*) est caractérisé par le prosélytisme itinérant de pasteurs (Theodore Frelinghuysen, George Whitefield, les Tennent, Jonathan Edwards) rassemblant des foules passionnées par l'enseignement qu'elles reçoivent et désireuses de retrouver une foi hier encore chancelante. Cette ferveur débouche sur la scission des *denominations* alors existantes et la création de séminaires ou collèges, tel celui de Princeton, où la théologie « nouveau style » supplante la tradition de

---

Les quakers

La Société des Amis fut fondée en 1668 par George Fox qui voulait réveiller et rénover le protestantisme anglo-saxon. Il parcourut l'Angleterre, refusant clergé, sacrements, liturgie, prônant la fraternité, l'égalité, prêchant contre la guerre : seule comptait la « lumière intérieure » qui illumine toutes les créatures de Dieu. Les quakers furent particulièrement nombreux en Amérique (ils étaient en 1990 environ 120 000 aux États-Unis et au Canada), à la suite de William Penn qui fonda la Pennsylvanie en 1682, lui donnant une constitution qui servira de modèle à celle des États-Unis. Tolérants, antiesclavagistes, pacifistes (ils refusent le service militaire), ils ont souvent été en butte à l'hostilité, et parfois à la persécution, des autorités. Ils ont eu le prix Nobel de la paix en 1947.

MARIE-FRANCE TOINET

Harvard ou Yale. Il est probable que le Grand Réveil, dans son insistance sur le choix individuel, a préparé la voie à la liberté d'esprit qui, peu après, a mené à la révolution et à l'indépendance des États-Unis.

Ce qui caractérise cette révolution, c'est la symbiose entre l'exaltation de la liberté et le sentiment religieux. Les séances de la Convention de Philadelphie, en 1787, s'ouvrent sur des prières, Dieu est constamment présent dans ses délibérations, même s'il n'y est pas fait référence dans le texte de la Constitution. Cette absence est compensée par le premier amendement : « Le Congrès ne pourra faire aucune loi ayant pour objet l'établissement d'une religion ou interdisant son libre exercice. » Pas de religion d'État, et pleine liberté de conscience : les États-Unis sont alors le seul État où le sentiment religieux s'exprime en toute liberté.

La grande ferveur du XIXᵉ siècle

Au XIXᵉ siècle, le sentiment religieux est vivifié par les luttes autour de l'esclavage. Dès 1830 se manifeste un réveil, un de ces *revivals* périodiques, né dans le Middle West et qui se cristallise autour de l'abolitionnisme, auquel la prédication de pasteurs comme Charles et James Finney, Theodore Weld fait une large place. La cause des esclaves prend une dimension religieuse, tout en divisant les Églises, en particulier les baptistes, méthodistes et presbytériens. L'abolition de l'esclavage, en 1863, conduit à la création d'Églises noires séparées dans le Sud, où les Noirs affranchis, protestants à 90 %, entendent perpétuer leurs propres pratiques religieuses, *gospels* et *blues*, qui les rattachent à leurs origines africaines.

Dans une Amérique où les immigrants arrivent en flots de plus en plus serrés, la fréquentation d'un lieu de culte constitue, en dehors de la famille, le seul point d'ancrage et les Églises s'acharnent à rameuter leurs fidèles en exaltant leurs sentiments religieux. Le catholicisme gagne du terrain avec les Irlandais, les Polonais, les Italiens qui submergent l'ancien épiscopat français. Le judaïsme est renforcé par l'afflux d'Allemands, au milieu du XIXᵉ siècle, et surtout de Russes chassés par les pogroms au début du XXᵉ. Son unité se brise en trois branches – orthodoxes, conservateurs et libéraux – qui transcendent la vieille opposition entre séfarades et ashkénazes. Une fois encore, ce sont les protestants qui subissent le choc majeur, avec l'apparition de nouvelles *denominations* : mormons en 1831, adventistes issus du mouvement millénariste de William Miller (1845), adventistes du septième jour (1846), l'Église scientiste (1879), l'Armée du Salut (1880). Mais, au début du XXe siècle, la ferveur religieuse n'est pas sans créer des cas de conscience chez les fidèles : comment concilier la Bible avec le rationalisme scientifique, en particulier l'évolutionnisme de Darwin ? Les fondamentalistes s'insurgent contre la doctrine qui fait descendre l'homme du singe et lui refuse sa part de divin, l'accusant de pervertir la jeunesse. Tel est l'objet du procès passionné qui les oppose, en 1935, dans le Tennessee, à l'instituteur John Scopes, qui a enfreint la loi de l'État en enseignant la doctrine de l'évolution. Scopes condamné, l'enseignement de la Bible sort confirmé et renforcé.

L'esprit missionnaire

Ainsi s'expliquent en grande partie les adhésions massives, spectaculaires et bruyantes à toutes les manifestations d'évangélisme populaire en plein matérialisme du XXe siècle. Comment ne pas demeurer perplexe devant la ferveur suscitée chez des dizaines de milliers d'auditeurs par l'apparition d'un Billy Graham dans les années 1950, ou le succès d'un autre révérend, Jerry Falwell, qui, au cœur de l'Amérique reaganienne, a ressuscité les *revivals* des siècles précédents, ou encore devant l'ascension météoritique du télévangéliste Jim Bakker et de sa femme Tammy et leur chute brutale dans le scandale ? L'exploitation, à des fins financières, du sentiment religieux par d'authentiques prêcheurs populistes et par des escrocs masqués en hommes de Dieu est inséparable du capitalisme américain.

L'emprise du religieux dans la vie quotidienne explique l'importance prise dans les débats publics par la question des prières dans les écoles publiques et celle de l'avortement, à la suite de deux arrêts de la Cour suprême, l'un interdisant la prière (1962), l'autre autorisant l'avortement (1973). Depuis les années 1970 en effet, conservateurs et fondamentalistes, avec la complicité du gouvernement républicain, n'ont cessé de réclamer bruyamment le retour de Dieu dans l'école, et le respect absolu de la vie de l'embryon. Avec des succès très partiels. Un fond de ferveur religieuse reste présent dans la vie publique américaine. Forts d'avoir évangélisé le Nouveau Monde, même s'ils sont très loin d'y avoir réalisé le royaume de Dieu, les Américains ont toujours considéré l'Ancien comme le repaire des vices et de l'incrédulité. Ils se sont sentis appelés à y prêcher la bonne parole, en y envoyant à leur tour des missionnaires chargés de moraliser les pays d'où étaient partis les pèlerins, au même titre d'ailleurs que les populations d'Asie ou d'Afrique, où ils ont joué, en plus, de leur passé anticolonial. Le même prosélytisme anime les hommes d'État qui, de Woodrow Wilson à George W. Bush, en passant par Harry Truman, Jimmy Carter ou Ronald Reagan, se sont faits les défenseurs de grandes causes morales, dénonçant, sous des formes changeantes, l'« empire du mal ».

Séparation de l'Église et de l'État, la formule américaine

JEAN-PIERRE MARTIN

À l'inverse d'une règle vérifiée dans tous les pays développés, les États-Unis connaissent un très haut niveau d'affiliation et de pratique religieuses : en 2000, 92 % des habitants s'y déclaraient liés de quelque manière à une Église constituée. Autre originalité, l'extrême diversité des groupes religieux ou associations cultuelles : en se bornant aux confessions non aborigènes, 85 Églises revendiquaient en 2001 plus de 50 000 croyants, certaines d'ailleurs illustrant ce mouvement permanent de fusions (*mergers*) ou de sécessions qui décourage observateurs et statisticiens : ainsi, les méthodistes se distribuent, en fonction de critères tant théologiques qu'ethniques, en cinq confessions (*denominations*) principales, les baptistes en seize ; à quoi il faudrait ajouter toutes les dissidences instantanées ou durables... La variété du paysage religieux relève de deux causes majeures : peuplement, et statut de fait puis de droit des Églises.

Les puissances coloniales rivales ont transféré sur le continent américain populations et Églises « établies » : catholique romaine pour l'Espagne et la France, l'une sur le pourtour du golfe du Mexique et dans le Sud-Ouest, l'autre des Grands Lacs au delta du Mississippi : anglicane, au fur et à mesure que la Couronne anglaise consolidait divers établissements atlantiques en colonies royales ; luthérienne pour les Suédois du Delaware, réformée dans l'implantation hollandaise de la Nouvelle-Amsterdam. À ce schéma complexe et conflictuel se sont superposés deux autres facteurs. Les guerres européennes ont chassé vers l'Amérique d'autres groupes ethnico-religieux, comme par exemple les « Palatins », protestants de l'Allemagne du Sud dévastée par les troupes de Louis XIV. Enfin, les persécutions dont étaient victimes certaines confessions à l'intérieur même des pays européens ont créé de nouvelles vagues migratoires à composante essentiellement religieuse ; pour s'en tenir au seul cas de l'Angleterre, ont été successivement poussés à l'exil puritains (dès 1620), catholiques (Maryland, 1632), quakers (New Jersey, puis Pennsylvanie, 1681), et presbytériens écossais déjà réimplantés en Irlande qui, à partir de la Pennsylvanie, peuplèrent la Frontière vers 1720.

Chaque système confessionnel tend à obtenir de la puissance publique un absolu monopole : ce fut le cas des implantations latines et de la Nouvelle-Angleterre où la symbiose du politique et du religieux a pu suggérer l'existence d'une théocratie. Mais d'autres convictions, ou des calculs politiques tels que le souci de capter les immigrations, ont inspiré des dispositions à l'époque paradoxales : ainsi, le très calviniste Roger Williams, banni du Massachusetts, créa en 1636 à Providence, noyau du futur Rhode Island, le premier État laïque au monde, et y proclama une totale « liberté de l'âme » ; Lord Calvert accorda dans le Maryland droit de cité à « tous cultes chrétiens » (1649) ; la Pennsylvanie accueillit, outre les confessions déjà citées, mennonites, tunkers, amish, anabaptistes de toutes nuances, juifs, bientôt méthodistes, etc. L'Église anglicane, fort jalouse de ses privilèges en métropole, se borna dans les colonies américaines à une répression douce qui sanctionnait par des amendes le non-respect du Sabbat et l'absence à ses offices des « quakers et autres récusants ». En 1689, le Parlement de Westminster adopta l'Acte de Tolérance, qui, sans reconnaître les confessions protestantes non anglicanes, leur concédait le libre exercice du culte ; mesure qui, outre-Atlantique, accentua encore le brassage confessionnel.

Le mouvement même des Églises accentua encore la dispersion confessionnelle : congrégationalistes, puis presbytériens, puis anglicans connurent des divisions, voire des schismes, quand le premier Grand Réveil (1725-1750) proposa aux masses un évangélisme universaliste débarrassé des dogmes, des rites et des hiérarchies, substituant conversion immédiate et foi vécue aux abstractions théologiques. À l'inverse, les progrès du déisme, « foi tiède et raisonnable », entamèrent les convictions religieuses des classes lettrées.

Indépendance et statut des Églises

Les constitutions des nouveaux États se sont donc bornées, malgré de fortes oppositions parfois, à reconnaître la multiplicité des confessions et l'impossibilité juridique et morale d'assurer le monopole d'aucune. Ces statuts étaient inégalement libéraux : le Massachusetts subventionna les seules Églises protestantes (1780), le Maryland, toutes les Églises chrétiennes (1776), la Pennsylvanie (1776) et la Virginie (1779) refusèrent toute aide aux cultes. La liberté de conscience n'a trouvé d'abord à l'échelon national que des formulations progressives et prudentes (Ordonnance du Nord-Ouest [1787], article VI, 3e paragraphe de la Constitution). Il fallut attendre la *Déclaration des droits* de 1791 pour que soit affirmée, sous la pression de certains États (Virginie, Maryland, Pennsylvanie) et malgré les réserves d'autres (Massachusetts), grâce surtout aux campagnes des « petites » Églises (baptiste et romaine), la neutralité religieuse de l'entité fédérale. Aux termes du 1er amendement, « le Congrès ne passera pas de loi portant établissement d'une quelconque religion, ou en interdisant le libre exercice » ; de manière significative, la clause de non-établissement et celle du libre exercice précédaient l'affirmation de droits plus généraux : libertés d'expression et de communication, de réunion, de pétition.

Toutes égales devant l'institution fédérale, les Églises ne pouvaient en attendre d'autre secours que la protection d'un droit abstrait à l'existence. Il leur appartenait donc, et à elles seules, de donner forme concrète à ce droit en trouvant ou gardant leurs fidèles, en créant leurs moyens matériels, etc. Au total, les Églises, groupements volontaires de fidèles comme le voulait déjà Roger Williams, ne pouvaient attendre d'aide « que de Dieu et d'elles-mêmes », dans un climat de libre concurrence dont les manifestations étaient parfois susceptibles de choquer... En contrepartie, le gouvernement national devait veiller en permanence à assurer contre toute mesure arbitrairement restrictive la totale liberté de chaque culte.

Des arrêts ont été prononcés depuis par la Cour suprême, qui donnent pour la période contemporaine les interprétations en vigueur : la croyance est licite, non son emploi à des fins frauduleuses ou criminelles (*Cantwell c. Connecticut*, 1940) ; il n'appartient pas aux pouvoirs publics d'apprécier le bien-fondé de doctrines religieuses (*United States c. Ballard*, 1944), ni d'obliger les sectes pacifistes à des rites patriotiques (*West Virginia c. Barnette*, 1942, et *Welsh c. United States*, 1970), ni d'exiger d'agents rétribués sur fonds publics un engagement religieux (*Torcaso c. Watkins*, 1961, et *McDaniel c. Paty*, 1978), ni d'obliger les enfants des écoles publiques à des exercices religieux (*Engel c. Vitale*, 1962, et *Wallace c. Jaffree*, 1985). En revanche, la Cour a déclaré constitutionnelles l'extension de certaines subventions aux élèves fréquentant les institutions privées (*Everson c. Board of Education*, 1947, et *Tilton c. Richardson*, 1971), mais non à ces écoles elles-mêmes (*Sloan c. Lemon*, 1973, et *Grand Rapids School District c. Ball*, 1985), ou la présentation d'une crèche de Noël par une municipalité (*Lynch c. Donelly*, 1984).

Au total, mais de manière moins évidente peut-être depuis 1980, la plus haute instance juridique des États-Unis maintient contre de multiples pressions ce que Thomas Jefferson définissait en 1802 comme « ce mur qui sépare Églises et État ».

Laïcité institutionnelle et velléités cléricales

JEAN-PIERRE MARTIN

Le 1er amendement de la Constitution, par référence explicite au Congrès, limitait aux institutions fédérales l'obligation de neutralité ; formulation voulue par les défenseurs des Églises établies dans les États, comme John Adams, champion du congrégationalisme en Nouvelle-Angleterre et successeur de George Washington à la présidence. Ainsi, les États pouvaient confirmer le statut privilégié de certains cultes, que révoquèrent peu à peu de nouvelles constitutions : New Hampshire, 1817 ; Connecticut, 1818 ; Massachusetts, 1833 ; l'exemple le plus frappant demeure cependant le territoire de l'Utah, où l'Église des saints des derniers jours (mormons) imposa une rigoureuse théocratie avant de céder aux pressions d'une opinion et d'un Congrès hostiles et d'adopter un compromis (*Mormon Manifesto*, 1890) permettant l'intégration dans l'Union.

L'évolution historique a donc aligné de fait les États sur la neutralité fédérale ; qui plus est, la Cour suprême disposa à partir de 1925 que le 1er amendement obligeait les États dans tous les domaines couverts par la *Déclaration des droits* et les soumettait donc au 1er amendement. Au total, ni un État ni le gouvernement fédéral n'ont pouvoir constitutionnel de contraindre une personne « à professer sa croyance ou sa non-croyance à quelque religion ». Ils ne peuvent adopter des lois ou imposer des obligations qui avantageraient toutes les religions au détriment des non-croyants.

Paradoxalement cependant, pour qui évoque les crises accompagnant, dans d'autres pays, la séparation de l'État et d'une Église ayant situation ou statut dominant, la « laïcité » américaine, si elle est a-confessionnelle, n'est nullement a-religieuse. Comme le disait William O. Douglas en 1952, « nous sommes un peuple religieux dont les institutions postulent l'existence d'un Être suprême ». La puissance publique est neutre par composition avec toutes les croyances, non par hostilité à aucune : ainsi, la monnaie américaine manifeste la confiance en Dieu (*In God we Trust*), comme la devise nationale la garantie divine (*One Nation under God*). Les assemblées d'État et fédérales rétribuent sur fonds publics les chapelains qui ouvrent leurs sessions par la prière. Aucun élu américain, à commencer par le président lors de sa prise de fonction, ne manquerait d'invoquer le nom du Seigneur quand il s'adresse à ses compatriotes.

Les « lois bleues » et leurs avatars

Que l'on ne s'y trompe pas, cependant : la neutralité bienveillante des institutions, si elle garantit l'existence de tous les groupes religieux et leur concède certains avantages, en matière fiscale notamment, n'a jamais satisfait les activistes de toutes

Les âmes mortes des mormons

En dehors des registres peut-être tenus par Dieu lui-même, il n'y a rien dans l'histoire de l'humanité qui s'approche de la gigantesque tâche des mormons : recenser tous les habitants de notre planète depuis qu'Adam et Ève ont été chassés du paradis. Il faut toute l'opiniâtreté des 7 millions de disciples de Joseph Smith pour ne pas se décourager. On estime, en effet, que près de 70 milliards d'individus sont passés sur la Terre. Raison de cette entreprise « sisyphesque » : sauver les âmes de nos ancêtres. « Un grand nombre de gens n'a pas eu le privilège d'entendre l'Évangile. Pour les mettre à égalité devant Dieu au jour du Jugement, nous devons leur administrer les sacrements », explique Jerry Cahill, l'un des responsables de l'Église. Ces rituels étranges sont célébrés à huis clos dans la quarantaine de temples de l'Église des saints des derniers jours (appellation officielle des mormons) à travers le monde, nuit et jour, sans interruption. À chaque mormon revient ainsi la mission de remonter le plus loin possible dans son arbre généalogique. Et quand il s'est occupé de ses ancêtres, il prend en charge des individus dont les noms lui sont fournis par l'Église.

Centre de cette ruche – symbole des mormons –, Salt Lake City, capitale de l'Utah, où Bringham Young, le successeur de Joseph Smith, emmena ses fidèles à la fin du siècle dernier.

La Genealogical Society of Utah est responsable de tout ce travail de collecte commencé en 1894. À travers la planète, les équipes des mormons recherchent les documents leur donnant les généalogies de nos ancêtres. « Nous sommes intéressés par tous les documents des 450 dernières années » explique le responsable de cette recherche : registres de l'état civil et paroissiaux, recensements ; à défaut, registre des cimetières, des hôpitaux, voire les livres de bord des navires où étaient consignés les passagers ou encore les listes de détenus des prisons.

Priorité a d'abord été donnée aux archives du Royaume-Uni, d'Allemagne et de Scandinavie, pays d'origine de la majorité des mormons. L'Amérique latine a été la priorité suivante, puis les pays où les archives sont en « danger de mort » à cause des mauvais traitements ou des troubles politiques. Tous ces documents sont microfilmés puis envoyés à Salt Lake City pour être triés et préservés. Deux milliards de noms ont déjà été collectés. Toutes ces vies sont ensuite entreposées dans un extraordinaire coffre-fort creusé dans le rocher à 1 800 mètres d'altitude, prévu pour durer pour l'éternité. Une arche de Noé de l'humanité, en quelque sorte.

JEAN-SÉBASTIEN STEHLI

confessions. De ces tentatives pour christianiser les États témoignent d'abord les fameuses « lois bleues » (ainsi appelées par référence aux codes des puritains, moqués pour leur nez transi) qui entendaient aligner les comportements privés sur les commandements réels ou supposés des religions : observance du Sabbat, définition d'une orthodoxie sexuelle (même pour les adultes consentants et éventuellement mariés), proscription d'auteurs ou d'ouvrages réputés impies ou pornographiques. La prohibition sous ses diverses formes, dont certaines toujours en vigueur, offre l'illustration la plus spectaculaire de ce moralisme minutieux à couverture religieuse. Se rattachent à ces dispositions, souvent oubliées même si certaines figurent toujours dans les codes locaux, des tentatives plus tardives : l'interdiction d'enseigner « la théorie ou doctrine que l'humanité est issue ou descend d'animaux inférieurs », en d'autres termes l'évolutionnisme, contraire au récit de la Genèse, lui-même érigé en « science créationniste » (Tennessee, 1925 ; Arkansas, 1965 ; Louisiane, 1984) ; la mise hors la loi des enseignements et techniques concernant la contraception (Connecticut, 1962) ou de l'avortement non thérapeutique (Texas, 1969) – tous textes frappés de nullité par la Cour suprême dont l'obstination à préserver le « mur de séparation » a réveillé d'anciennes velléités d'agir au niveau fédéral. Ainsi, en 1982, le Sénat a donné une majorité (mais non les deux tiers requis) à un projet d'amendement appuyé par la présidence et visant à restaurer dans les écoles publiques une prière facultative et interconfessionnelle. La neutralité religieuse affirmée par le 1er amendement est certes un acquis, mais qui exige en permanence défense et spécifications.

De nouvelles cultures religieuses

Jean-Pierre Martin

On observe un déclin régulier (en pourcentage de la population) des confessions se réclamant d'un protestantisme toujours majoritaire, que ne compense plus la progression d'un catholicisme romain pourtant bénéficiaire des immigrations hispanophones. D'une manière générale, on estime que, pour les Églises majeures (*mainstream churches*), le ralentissement démographique permet, au plus, de compenser les défections individuelles ou dues à une moindre pratique dans les métropoles urbaines. N'en apparaît que plus frappante la montée des cultes non chrétiens : aborigènes (renouveau culturel des

Indiens), musulmans (renforcés par des immigrations récentes), orientaux et surtout bouddhistes qui, outre des croyants d'origine asiatique, ont fixé nombre d'adeptes des mouvements « contre-culturels » des années 1960 à 1980 ; à quoi il faut ajouter de multiples organisations à caractère sectaire se proclamant transconfessionnelles (par exemple l'Église de l'Unification du « Messie » Moon) ou inspirée de nouvelles techniques psychologiques permettant au « client » (payant) de combiner réalisations spirituelles et matérielles : scientologie, Est, re-naissance (*Re-birthing*), etc.

Selon les estimations fiscales de 1986, chaque croyant contribuerait pour 256 dollars annuels en moyenne aux finances de son « Église » ; les seules confessions protestantes affiliées au National Council of Churches of Christ in the United States (NCCC) géreraient (1986) quelque 12 milliards de dollars, statistique qui ne prend pas en compte les Églises luthériennes ni certains groupes noirs. Un complexe religieux comme les Jimmy Swaggart Ministries, implanté à Baton Rouge (Louisiane), affichait en 1987 un chiffre d'affaires de 128 millions de dollars, dont un quart redistribué à 1 300 salariés... L'on sait enfin que, cause et effet, les Églises recrutent inégalement selon les niveaux de revenus : baptistes et méthodistes blancs et noirs disposent des revenus les plus faibles, presbytériens et juifs sont au sommet de l'échelle, dépassés cependant par les 2,6 millions de membres de l'Église épiscopalienne (2001) qui rallie traditionnellement l'élite économique, et qui est parfois confondue avec l'« établissement protestant » ; les catholiques, naguère en deçà du revenu moyen, occupent une position intermédiaire témoignant de la bonne insertion des groupes d'immigration ancienne, mais menacée par des afflux plus récents (Portoricains et Cubains notamment).

Églises et ethnicité

Même si, tendance récente, l'appartenance confessionnelle est plus « choisie » et moins « héritée », la définition ethnique reste essentielle et explique du même coup la distribution géographique des fidèles. Les catholiques d'ascendance irlandaise, italienne, polonaise, portoricaine et cubaine sont surreprésentés dans les métropoles urbaines, comme leurs coreligionnaires d'origine mexicaine dans le Sud-Ouest, mais relativement peu nombreux dans le Sud et des Dakotas au Pacifique ; ils recrutent peu parmi les Noirs, eux aussi très urbanisés et fidèles (malgré la croissance, un moment spectaculaire, d'un islamisme noir, les *Black Muslims*) à leurs confessions traditionnelles, baptistes et méthodistes surtout, dont les églises et les pasteurs ont servi la lutte contre toutes formes de discrimination. Malgré l'évolution récente de la « ceinture du soleil », le protestantisme dans le Sud apparaît comme une véritable religion ethnique. À ne considérer que la population blanche, naguère rurale à 80 % et abritée des courants migratoires internes et externes, l'ancienne Confédération comptait, en 1950, 80 % d'évangéliques (baptistes et méthodistes). Le Sud demeure cette « ceinture biblique », cette terre de mission et de missionnaires qui entend reconvertir la nation. Il reste que l'appartenance confessionnelle n'est pas le plus court chemin vers le *melting pot* et que le renouveau ethnique pose de difficiles problèmes aux Églises : la pression des *Chicanos* du Sud-Ouest a ainsi arraché à la hiérarchie catholique l'intronisation du premier prêtre (1962), puis du premier évêque (1970) d'origine mexicaine ; l'Église épiscopalienne a consacré son premier évêque de couleur en 1988...

Religion et culture dominante

Les enquêtes révèlent une baisse globale de la pratique religieuse (plus accentuée dans l'Église catholique) et un moindre attachement des fidèles aux définitions dogmatiques et aux rituels de leurs confessions d'origine. Ainsi deviennent possibles des regroupements entre branches séparées d'une même Église (quakers, 1972 ; presbytériens, 1958), voire des fusions entre confessions que séparaient leurs choix théologiques (congrégationalistes et réformés réunis en une « United Church of Christ », 1961).

Dans les zones suburbaines nouvellement créées, il y a même coexistence dans un même édifice cultuel et sous un pastorat commun de confessions nominalement différentes : les *community churches* attestent, pour raisons financières aussi, une « banalisation », ou la recherche volontaire d'un dénominateur commun, que facilitent l'uniformisation relative des modes de vie et la participation aux mêmes valeurs culturelles. Cette pression du sociologique, qui estompe le transcendant au bénéfice du communautaire, a incité certains observateurs à annoncer l'avènement d'une « religion culturelle » où nombre d'interdits sont ignorés ; ainsi, en milieu catholique, malgré les rappels réitérés de la hiérarchie, divorces, recours à la contraception, avortement se banalisent ; imitant la plupart des Églises protestantes, l'épiscopat américain dénonce le sexisme en tous domaines et s'est même proposé (avril 1990) d'ouvrir le diaconat aux femmes.

Autre concession majeure aux normes du temps, le développement des « églises cathodiques ». Le *Communications Act* de 1934 obligeait les stations à diffuser à titre gratuit des programmes d'intérêt public, dont les émissions religieuses. Jugeant les temps d'antenne insuffisants ou leur répartition discriminatoire, les différentes confessions ont peu à peu organisé leurs propres réseaux qui représentaient, en 2000, 95 % du message religieux sur radio et télévision. Si des prédicateurs protestants (Jim Bakker, Jerry Falwell, Pat Robertson, Oral Roberts, Jimmy Swagart) ont privilégié la « religion électronique », d'autres confessions (catholique ou israélite) proposent aussi services religieux et programmes profanes mais conformes à leurs valeurs.

Religion et politique

La neutralité fédérale, progressivement étendue aux États, interdit de faire de l'existence même d'une confession un enjeu politique ; elle ne saurait empêcher l'action publique de groupes ou d'individus se réclamant de leur foi et prétendant en imposer les valeurs contre des Églises concurrentes. Ainsi, dans une nation de tradition anglo-saxonne et protestante, s'est organisée vers 1840 une forte réaction contre l'immigration d'Irlandais catholiques. Ce mouvement dit nativiste a connu plusieurs incarnations politiques (dont le Ku Klux Klan) et a contribué par une campagne haineuse à la défaite du catholique Al Smith à la présidentielle de 1928 ; le succès de John Kennedy en 1960 prouve la marginalisation du mouvement et le déclin des automatismes électoraux dans les différentes confessions.

L'action des Églises est permanente au niveau des États où elles cherchent à réglementer les mœurs ou à bénéficier, par le biais d'œuvres diverses, de la manne publique. Ces mêmes Églises interviennent aussi, avec des fortunes inégales, à l'échelon fédéral, tant en politique intérieure que pour les affaires étrangères : la Conférence de l'épiscopat catholique a ainsi critiqué les options économiques du président Reagan (*Poverty in America*, 1986) et demandé des mesures de désarmement (*The Challenge of Peace*, 1983) ; le NCCC avait proposé en 1966 un désengagement américain au Vietnam, et prône une aide massive au tiers monde ; certaines associations juives tentent, depuis la création d'Israël, d'obtenir un soutien plus massif du gouvernement.

Enfin, certaines associations religieuses, avec le soutien plus ou moins explicite des Églises dont elles se réclament, ont essayé de lier la nation par voie d'amendement constitutionnel, par exemple pour interdire l'avortement (*Human Life Amendment*, 1973) ou imposer prière ou méditation dans les écoles (1982) ; elles ont contribué à faire échouer l'*Equal Rights Amendment* (égalité des sexes) en 1982, et ainsi révélé la montée en puissance, depuis 1975, d'une constellation se réclamant des « valeurs traditionnelles » et dénonçant sous l'appellation d'« humanisme séculier » la compromission des Églises « libérales » ou « modernistes ». La composante protestante de cette tendance, présente aussi chez catholiques et juifs, a repris et diffusé avec succès les thèmes du fondamentalisme millénariste et notamment l'infaillibilité de l'Écriture ; mais sa visée, telle qu'affirmée par des télévangélistes de grand talent, est aussi ouvertement politique : la majorité morale de Jerry Falwell, par exemple, accuse le relâchement des mœurs, les gaspillages du *Welfare State*, la trahison des élites cosmopolites, etc. Ce populisme spirituel a certainement contribué aux succès républicains des années 1980.

Comme celles de son prédécesseur Reagan, la présidence de George H. Bush n'a pas tenu ses promesses électorales, décevant intégristes protestants et évangéliques. Les deux mandats libéraux de Bill Clinton ont vu au contraire la montée en puissance des « champions de Dieu » : tributaire d'un électorat sudiste dominé par des Églises à tendances fondamentalistes, le Parti républicain s'est condamné à une symbiose récompensée par l'élection de George W. Bush, en 2000. Chrétien régénéré (*reborn*) après sa traversée du désert, le président Bush a installé des intégristes notoires dans son Cabinet, multiplié les références confessionnelles, couvert ses décisions du manteau d'un moralisme obsessionnel. Le messianisme américain, dans ce nouvel avatar, a retrouvé les voies du millénarisme puritain, de la Destinée manifeste, de l'ère impérialiste de Josiah Strong (chantre de la « race » anglo-saxonne dans *the New Era*, 1893) et de Theodore Roosevelt (1901-1908). Le gouvernement fédéral, se réclamant d'un manichéisme naïf (« We are good », a déclaré G. W. Bush), s'est fait le bras séculier d'une croisade, d'ailleurs annoncée (notamment par Samuel Huntington dans *Clash of Civilization/Le Choc des civilisations* – dès 1996), contre les « États scélérats » (*rogue states*), en majorité musulmans, et contre l'« axe du mal ». Les attentats du 11 septembre 2001, touchant le pays dans son intégrité, ont catalysé et souvent, pour l'opinion publique, légitimé une réaction militaire, idéologique et religieuse qui a ressuscité la Sainte Alliance d'antan.

Les Églises de l'émancipation

NICOLE BERNHEIM

Les Églises, en grande majorité protestantes, ont joué et jouent toujours un rôle essentiel dans la vie politique, sociale et culturelle de la communauté noire américaine. La tradition religieuse reste un élément essentiel de l'évolution de cette communauté et ce n'est pas par hasard si, jusqu'au dernier quart du XXe siècle, ses leaders les plus en vue sont souvent passés par le séminaire.

Les premières Églises noires ont vu le jour dans le Sud, à la fin du XVIIIe siècle. Alors que les esclaves n'avaient pas le droit d'apprendre à lire et à écrire, elles étaient le seul lieu où la communauté noire pouvait se rassembler et, par le biais des prêches de ses pasteurs et des *gospel songs*, acquérir quelque culture. Ces chants n'étaient d'ailleurs, sous le couvert de symbolisme religieux, ni plus ni moins que des appels à la révolte, mais il fallait être noir pour le comprendre. Certains pasteurs noirs devinrent célèbres pour leur talent oratoire, arrivant à subjuguer jusqu'aux auditoires blancs, comme le fameux Uncle Jack qui prêchait devant maîtres et serviteurs des plantations de Virginie. Mais les Églises noires furent aussi très vite des centres de militantisme pour l'abolition de l'esclavage, ce qui ne tarda pas à inquiéter la communauté blanche du Sud. En 1822, après l'échec de la révolte dirigée par Denmark Vesey, les pasteurs méthodistes blancs décidèrent de ne plus ordonner de pasteurs noirs. Cela n'empêcha pas la parole divine de continuer à inspirer les rebelles. Nat Turner, qui mena, en 1831, la plus célèbre et la plus sanglante révolte d'esclaves, se déclarait mandaté par Dieu pour libérer ses frères. L'esclave évadée Harriet Tubman, héroïne de l'*underground railroad*, cette filière d'évasions vers le Nord qui fonctionna jusqu'à la guerre de Sécession et permit à 75 000 esclaves de trouver la liberté, était surnommée « Moïse ».

Des pasteurs de choc

Après la guerre de Sécession, les Églises noires ouvrirent les premiers établissements d'enseignement à l'usage des anciens esclaves qui, sans instruction, sans métier et sans argent, étaient perdus dans leur nouvelle liberté. Les congrégations de tous ordres poussèrent comme des champions, avec toutes sortes de dénominations. La petite bourgeoisie noire qui émergeait lentement restait profondément attachée à sa culture religieuse et élevait ses enfants dans les préceptes des Écritures. Comme la plupart des universités refusaient les étudiants noirs, et coûtaient d'ailleurs trop cher, le séminaire devint la voie obligée des garçons ambitieux.

Un siècle après l'abolition de l'esclavage, la plupart des porte-parole de la communauté noire étaient ou avaient été pasteurs, même s'ils n'avaient pas toujours exercé longtemps leur sacerdoce. Ce fut le cas, dans les années 1960, de Martin Luther King, le chef de la lutte pour les droits civiques, de la plupart de ses lieutenants et de Malcom X avant sa conversion à un islam quelque peu fantaisiste. C'est le cas d'Andrew Young, qui fut le premier ambassadeur américain noir aux Nations unies et maire d'Atlanta, de Benjamin Hooks, président de la National Association for the Advancement of Coloured People – NAACP (Association nationale pour la promotion des gens de couleur), l'une des principales et des plus anciennes organisations noires, de James Baldwin, qui restera sans doute l'un des plus grands écrivains américains, de Jesse Jackson, enfin, dont la candidature aux élections présidentielles de 1980 et 1988 a marqué un tournant dans la vie politique de toute la communauté noire.

Ce n'est que depuis les années 1970 que l'on a vu émerger des personnalités politiques noires laïques, comme les maires de grandes villes tels que David Dinkins (New York), Marion Barry (Washington), Tom Bradley (Los Angeles), Coleman Young (Detroit).

Toute une génération de Noirs sort aujourd'hui des grandes universités américaines, prête à prendre les responsabilités politiques et professionnelles que l'Amérique blanche reste réticente à lui laisser exercer. Même s'ils restent, pour la plupart, fortement imprégnés de la culture religieuse de leur communauté, ils risquent d'être beaucoup moins patients que les saints hommes qui les ont précédés sur la voie de l'émancipation.

Au cœur de la démocratie américaine, le droit

LAURENT COHEN-TANUGI

Historiquement, les colonies américaines ont affirmé leur indépendance à l'égard de la métropole britannique sur le terrain du droit : « pas d'imposition sans représentation ». Les États-Unis sont ensuite nés grâce à l'invention d'un équilibre subtil entre la souveraineté des États fédérés et les pouvoirs du gouvernement fédéral, inscrit dans cette charte juridique suprême qu'est la Constitution. Enfin, les colons, qui avaient fui les monarchies absolutistes et les persécutions religieuses du Vieux Continent, ont eu à cœur d'établir une République fondée sur la tolérance, dans laquelle la puissance publique serait limitée et contrôlée, et les droits et libertés naturels de l'homme, effectivement garantis.

Le droit comme contrepoint majoritaire

Il en est résulté une conception de la démocratie très différente de celle qui s'est généralisée en Europe dans le sillage de la Révolution française : pour les Américains, la démocratie ne saurait se réduire à la loi de la majorité, qu'elle s'exprime par la voix des représentants du peuple élus au suffrage universel, ou même directement par référendum. Les Américains ne croient pas à la volonté générale, dont la loi souveraine est censée être l'expression ; ils s'en méfient non seulement parce qu'il s'agit d'une abstraction, mais surtout parce qu'elle porte en germe la tyrannie des majorités politiques, propre à légitimer toutes les atteintes aux droits des minorités et aux libertés individuelles. Le régime représentatif reste certes la norme de la démocratie, aux États-Unis comme ailleurs ; mais le principe majoritaire se voit tempéré, d'une part, par l'affirmation de principes fondamentaux ayant valeur juridique suprême et, d'autre part, par une panoplie de dispositifs institutionnels – les fameux *checks and balances* – destinés à faire interagir les pouvoirs exécutif, législatif et judiciaire, tant au niveau fédéral qu'étatique et d'un niveau vers l'autre, afin que partout le pouvoir arrête le pouvoir. Les États-Unis ont été la première démocratie constitutionnelle fondée sur la *rule of law* et restent, aujourd'hui encore, le modèle le plus achevé de l'État de droit. Le « peuple » conservant par ailleurs un certain nombre de droits, la démocratie se définit comme l'affirmation contradictoire d'une pluralité de pouvoirs, d'intérêts, d'hommes et d'idées concurrents, sous l'arbitrage du droit.

Parmi ces dispositifs, le rôle de superviseur des pouvoirs politiques dévolu au pouvoir judiciaire par le contrôle de constitutionnalité des lois (*judicial review*) est des plus importants. Si la Constitution ne fait pas explicitement mention de ce mécanisme, que s'est attribué unilatéralement la Cour suprême en 1803, dans l'arrêt fameux *Marbury c. Madison*, l'idée qu'un tel contrôle fût la province propre du judiciaire se trouvait présente à l'esprit des Pères fondateurs. C'est pourquoi ils s'avisèrent dès 1791 de compléter la Constitution par un *Bill of Rights*, dans la tradition anglaise, destiné à servir de référence au pouvoir judiciaire. Ces dix premiers amendements à la Constitution fédérale, qui énumèrent (de manière non limitative) les droits constitutionnels de chaque Américain, non en tant que citoyen mais en tant qu'homme, sont la charte fondamentale de la démocratie américaine. Ils constituent la finalité, et la limite de tout gouvernement légitime. Enseignés dès les bancs de l'école, ils forment la base de la culture politique américaine.

Les droits garantis par le *Bill of Rights* sont essentiellement des droits politiques et judiciaires – libertés publiques, garanties procédurales en matière pénale et civile et autres principes destinés à protéger le citoyen contre le gouvernement. Comme l'indique déjà la *Déclaration d'indépendance* de 1776, ces droits fondamentaux sont directement issus de la loi naturelle et de Dieu ; l'égalité, la liberté de conscience et le droit à la sûreté y ont rang cardinal. Les droits économiques et sociaux, caractéristiques de l'État-providence, n'ont pas rang constitutionnel, car ils ne constituent ni des droits inhérents à la nature humaine, ni des libertés à protéger contre la puissance publique.

D'où le reproche fréquemment adressé au système américain par ses détracteurs de laisser les inégalités économiques et sociales vider les droits de l'homme de leur substance. Les droits constitutionnels sont toutefois loin de ne constituer que des « libertés formelles » au sens où l'entendait Marx. La richesse de la pensée juridique et l'efficacité des institutions judiciaires américaines ont permis d'utiliser les principes généraux du *Bill of Rights*, constamment réactualisés, au service du développement démocratique.

Des droits qui s'imposent à tous

Le tournant décisif en matière de protection des libertés est lié à l'« incorporation » du *Bill of Rights* dans les dispositions du 14e amendement, à partir d'une décision de la Cour suprême de 1935. À l'origine, le *Bill of Rights* ne protégeait l'individu que contre les empiétements du pouvoir fédéral, et non des États. En 1868, au lendemain de la guerre de Sécession, le 14e amendement fut adopté : il imposa certaines obligations aux États, notamment la clause de *due process of law* (procédure légale régulière) et le principe d'égalité devant la loi (*equal protection of the law*). Mais il resta lettre morte pendant un demi-siècle encore. Ce n'est que dans *Gitlow c. New York* (1935) que la Cour suprême se résolut à déclarer que le 14e amendement s'appliquait bien aux États, leur interdisant d'abord d'attenter à la liberté d'expression. Dès lors, c'est sur le terrain du droit (notamment la clause d'*equal protection*), et par la mise en œuvre du contrôle de constitutionnalité des lois, que furent menées et gagnées par des politiques volontaristes (*affirmative action*) les batailles contre la ségrégation raciale, pour la liberté de l'avortement, pour l'exercice effectif du droit de vote, contre la discrimination fondée sur la race, le sexe ou la religion.

Généralement mal comprise en Europe – au nom du « gouvernement des juges » –, l'intervention de la Cour suprême dans
ces domaines éminemment politiques résulte souvent de la
carence du pouvoir politique fédéral, elle-même intrinsèque-
ment liée au compromis fédéraliste. Les grands problèmes de
société (l'avortement, la peine de mort, etc.) relevant de la souveraineté des États, les institutions fédérales n'ont pas compétence pour intervenir, sauf en cas de violation des droits garantis par la Constitution fédérale. Les juges fédéraux interviennent
donc en général pour invalider des législations d'État jugées
attentatoires aux libertés. Mais, comme c'est souvent le cas aux
États-Unis, le dispositif est réversible.

La tension permanente entre protection des libertés par des
juges non élus et respect de la volonté politique majoritaire,
entre souverainetés étatiques et pouvoir fédéral, est constitutive
de la démocratie américaine et n'a pas fini de soulever des
controverses. Elle est aussi probablement l'avenir de l'Europe.

Les institutions fédérales
ou le principe de l'équilibre des pouvoirs

CLAIRE-EMMANUELLE LONGUET

La Constitution des États-Unis consacre le principe de séparation et d'équilibre entre les pouvoirs législatif, exécutif et judiciaire. Elle définit les grandes lignes de leur organisation interne
et établit les règles régissant leurs relations réciproques.
L'article premier de la Constitution institue le Congrès qui se
compose du Sénat et de la Chambre des représentants. Chaque
État est obligatoirement représenté à Washington par deux sénateurs (soit 100 au total depuis 1960), et par des représentants
(435 depuis 1910), dont les circonscriptions varient en fonction
de l'importance de la population (mesurée par le recensement
constitutionnel effectué tous les dix ans). Chaque représentant
est élu dans une circonscription d'environ 500 000 habitants et
chaque État dispose d'au moins un élu. La Cour suprême intervient pour faire respecter le principe d'égalité de suffrage entre
tous les citoyens.

Tous les deux ans, le Sénat est renouvelé par tiers tandis que la Chambre des représentants est intégralement élue. À l'origine, les sénateurs (dont le mandat est de six ans) étaient nommés par les législatures des États ; depuis 1913 (17e amendement), ils sont élus au suffrage universel direct. Tant au Sénat qu'à la Chambre, le scrutin est uninominal à un tour. Les deux Chambres contrôlent l'éligibilité de leurs membres, le respect des règles d'incompatibilité et veillent à la régularité des élections.

Le Sénat est présidé par le vice-président des États-Unis qui ne participe que très rarement aux débats et ne vote qu'en cas d'égalité des suffrages. La présidence (dont le rôle est mineur) est en fait assurée par un président *pro tempore* élu par les sénateurs. La Chambre est présidée par le *speaker* (deuxième personnage de l'État) élu par ses pairs. Dans les deux assemblées, les partis disposent d'une organisation très hiérarchisée mais le vote est strictement personnel. Les commissions et les sous-commissions spécialisées et permanentes (respectivement au nombre de 22 et 140 à la Chambre et de 16 et 85 au Sénat depuis 1988) ont pour mission l'étude des propositions de loi.

Le Congrès : deux Chambres également puissantes

Le Congrès exerce l'intégralité du pouvoir législatif. Les deux assemblées détiennent seules et partagent également l'initiative législative. Elles sont compétentes pour élaborer les lois fédérales dont le domaine est défini par la Constitution. Outre une compétence explicite, le Congrès peut faire toutes les lois nécessaires à la mise en œuvre de ses pouvoirs. En revanche, il ne peut traiter de certaines affaires qui relèvent des États. La loi est votée lorsque les deux Chambres sont parvenues à une même rédaction résultant de la conciliation réalisée en commission mixte paritaire. Le texte est alors soumis au président qui doit le signer et le transmettre à l'administration.

Le Congrès peut contrôler l'administration soit en nommant des commissions spécialisées, soit à l'occasion du vote du budget. Le Congrès dispose, en effet, de pouvoirs financiers importants. Sur proposition du président, il vote le budget soumis prioritairement à l'examen de la Chambre des représentants. Au titre des compétences spécialisées, les deux assemblées peuvent conjointement proposer un amendement à la Constitution en adoptant une résolution à la majorité des deux tiers.

Si la procédure d'*impeachment* tendant à autoriser le jugement et la destitution des plus hautes personnalités de l'État (y compris du président) pour trahison, concussion et autres crimes ou délits majeurs est mise en œuvre par la Chambre, il appartient au Sénat de se prononcer sur le fond. Enfin, les nominations des hauts fonctionnaires proposées par le président doivent être ratifiées par le Sénat à la majorité des deux tiers ainsi que les traités les plus importants.

Le président, seul responsable de l'exécutif

En application de l'article 2 de la Constitution, le pouvoir exécutif est confié au président. Né citoyen américain et au moins âgé de trente-cinq ans, il est désigné tous les quatre ans par un collège électoral de 538 membres élus au suffrage universel direct. Les candidats à la Présidence et à la vice-présidence – formant le *ticket* (le couple candidat) – sont choisis au terme d'un long processus d'élections primaires et de conventions nationales. Depuis 1951, le président ne peut exercer plus de deux mandats. En cas de destitution, de décès ou de démission, le vice-président devient président. Politiquement, l'accession à la Maison-Blanche conduit le président à assumer le rôle de leader de parti, fonction d'autant plus importante que la majorité du Congrès ne le soutient pas obligatoirement.

Le président assume seul la responsabilité de l'exécutif : il n'existe pas de chef de gouvernement et les ministres dépendent directement du président qui n'est pas pour autant responsable devant le Congrès. Le président est chef de l'État et dispose d'un important pouvoir de nomination. Il est commandant en chef des armées (même si ce pouvoir a été considérablement réduit depuis l'adoption en 1973 de la loi sur les pouvoirs en temps de guerre). Il peut user du droit de veto soit de façon explicite, soit en refusant de se prononcer sur un texte de loi (*pocket veto*), et bloquer le processus législatif. Toutefois, les effets de cette intervention peuvent être annihilés par un vote acquis à la majorité des deux tiers des membres de chacune des assemblées.

L'indépendance de la Cour suprême

Constitutionnellement, la Cour suprême incarne le pouvoir judiciaire. Depuis 1869, elle se compose de neuf juges (huit *associate justices* et le *Chief Justice*), nommés après consultation du ministre de la Justice par le président, dont les propositions doivent être ratifiées par le Sénat. Leur nomination à vie permet de garantir leur indépendance. En outre, si les décisions de la Cour sont prises à la majorité, les observations de chaque juge sont publiées, y compris celles de la minorité.

La Cour juge en premier ressort des affaires fédérales. Elle traite en dernier ressort des affaires qui lui sont soumises en appel, sous réserve que leur importance le justifie (sur ce point l'accord de quatre juges est nécessaire). Enfin, la Cour peut se prononcer sur la constitutionnalité des lois. Cette compétence résulte de l'arrêt *Marbury c. Madison* de 1803 en vertu duquel la Constitution est la loi suprême des États-Unis et il appartient à la Cour d'interpréter la loi et de prononcer la nullité des textes (fédéraux ou fédérés) incompatibles avec la Constitution. La Cour ne peut toutefois se saisir elle-même de ces questions et dépend à cet égard de la pugnacité des requérants.

Le principe de séparation des pouvoirs ne doit pas s'interpréter comme un strict cloisonnement mais comme la recherche d'un équilibre, ce qui explique que l'on ait pu successivement qualifier le régime politique des États-Unis de « gouvernement des juges » ou de « république impériale ». Ainsi se manifeste dès que nécessaire le mouvement de balancier et la réaction à la primauté de l'une des trois branches du pouvoir sur les deux autres.

Une Constitution fédérale, cinquante constitutions d'État

PATRICK JUILLARD

Le phénomène constitutionnel, tel qu'il se présente aux États-Unis, défie la description tant sont grandes sa diversité et ses complexités : parce que les États-Unis sont une fédération, cinquante constitutions – celles des États membres – s'y

juxtaposent, et une cinquante et unième – la Constitution fédérale – s'y superpose.

La Constitution fédérale, loi suprême

La Constitution fédérale comprend les sept articles adoptés
en 1787, ratifiés en 1789, et les 26 amendements dont l'adjonction s'est échelonnée de 1791 à 1965. Cette Constitution se
donne pour la loi suprême des États-Unis (article 6, § 2) : sa
valeur juridique est donc supérieure tant à celle des lois fédérales qu'à celle des conventions internationales que conclut l'État
fédéral. Mais, par-dessus tout, la Constitution des États-Unis
l'emporte sur l'ensemble des constitutions et de la législation
des États membres, qui doivent s'y conformer.

Les Pères fondateurs avaient conçu cet instrument comme
un compromis entre thèses nationalistes, favorables au gouvernement fédéral, et thèses autonomistes, favorables aux États
membres. Les éléments de ce compromis sont les suivants : la
répartition des compétences entre gouvernement fédéral et États
membres s'opère en sorte que celui-là, à la différence de ceux-
ci, ne possède que des compétences d'attribution, définies de
façon limitative, non exhaustive ; la distribution des compétences, au sein du gouvernement fédéral, entre le pouvoir législatif
– le Congrès – et le pouvoir exécutif – le président – est ainsi
faite que ni l'un ni l'autre ne jouissent de la prépondérance sur
l'autre ; et, enfin, la protection des droits fondamentaux contre
l'action du gouvernement fédéral doit empêcher tout empiéte-
ment des pouvoirs nationaux sur les droits des citoyens.

L'évolution constitutionnelle des États-Unis devait mettre en
lumière le caractère illusoire de ces précautions. La répartition
des compétences entre gouvernement fédéral et États membres
s'est progressivement déséquilibrée : l'interventionnisme des
pouvoirs nationaux, notamment en matière économique, connaît
une accélération à partir de Franklin D. Roosevelt (1933-1945)
et la progression des pouvoirs nationaux entraîne la régression
des pouvoirs des États membres. La distribution des compétences, au sein du gouvernement fédéral, entre pouvoir législatif et
pouvoir exécutif oscille entre gouvernement « congressionnel »
et gouvernement « présidentiel ». Enfin, la protection des droits
fondamentaux, assurée efficacement par la Cour suprême et les

tribunaux fédéraux, s'exerce moins contre l'action des pouvoirs nationaux que contre l'inaction des États membres, génératrice d'iniquités et perpétuatrice d'inégalités.

L'enveloppe formelle n'a pas été modifiée fondamentalement ; il n'en reste pas moins que le contenu de la Constitution fédérale n'est plus ce qu'il était en 1790. La signification du texte a évolué tout d'abord grâce à l'interprétation jurisprudentielle, qui résulte du pouvoir qu'ont les tribunaux fédéraux de contrôler la constitutionnalité des lois (*Marbury c. Madison*, 1803). Mais la Cour suprême est tenue à une certaine réserve, sans laquelle le système dériverait vers le gouvernement des juges : ceux-ci ne sauraient susciter les mutations du corps social, qui doivent passer par la procédure de l'amendement constitutionnel. Le rôle de celle-ci dans l'évolution des institutions américaines ne doit pas être mésestimé. Les 26 amendements forment la partie la plus sollicitée de la Constitution. Ainsi, la Déclaration des droits – le *Bill of Rights* – est contenue dans les amendements 1 à 10 ; son extension aux États membres s'est opérée par le 14e amendement. Mais la procédure d'amendement est d'une telle lourdeur qu'elle ne parvient que difficilement à son point d'aboutissement. L'échec de l'*Equal Rights Amendement* (ERA) dans les années 1970 a d'ailleurs illustré ces difficultés.

Les constitutions des États, laboratoires d'expérimentation

Les constitutions des États membres ne sont pas, et de loin, entourées de la même vénération que la Constitution fédérale : les États membres pratiquent alertement l'art du changement. Il s'agit de documents de circonstance, dans lesquels le pragmatisme l'emporte sur le dogmatisme, et à travers lesquels s'expriment moins l'intérêt général que des intérêts spéciaux.

Cependant, ces constitutions remplissent une fonction utile : celle de laboratoires d'expérimentation constitutionnelle. En intégrant les aspirations au changement des gouvernés, elles préservent l'intangibilité du pacte fédéral. Lorsque, à la fin du XIXe siècle, les progressistes entreprirent, avec l'assentiment du président Theodore Roosevelt (1901-1909), la critique des institutions représentatives – considérées comme des instruments de conservatisme – et se firent les propagandistes de la démocratie directe, ce furent les constitutions des États membres qui absorbèrent le choc, par l'adjonction de dispositions sur l'initiative et le référendum populaires : près de la moitié des États membres se dotèrent de ces institutions. Le mouvement s'étant exprimé sur le plan local, il a épuisé sa force de propagation avant d'atteindre les institutions fédérales.

Il ne faut pas exagérer la capacité d'innovation constitutionnelle des États membres. Celle-ci demeure, en effet, limitée par la Constitution fédérale ; l'article 4 § 4 garantit à chacun des États une « forme républicaine de gouvernement ». Mais la forme républicaine de gouvernement n'exige pas l'uniformité constitutionnelle et la Cour suprême a manifesté, à plusieurs reprises, sa volonté de protéger l'autonomie des États en ce domaine, dans la mesure où cette autonomie ne s'exercerait pas au détriment des droits fondamentaux qu'énumère le *Bill of Rights*, et, notamment, au droit de libre et égal suffrage (*Baker c. Carr*). Mais on a constaté, au sein même des États membres, l'apparition d'une certaine tendance, sinon à l'uniformisation, du moins à la rationalisation.

Optimisme et réussite individuelle

ISABELLE RICHET

La croyance optimiste dans la réussite individuelle, qui a survécu aux bouleversements et aux crises des deux siècles passés, apparaît à la fois comme une cause et une conséquence de la création de la nation américaine. Aux origines, on trouve en effet une poignée d'individus soutenus par une foi inébranlable dans la mission qu'ils se sont fixée : l'établissement du royaume de Dieu sur terre. Selon le contrat qu'ils ont passé avec le Seigneur, ces puritains voient dans la réussite matérielle le signe de la grâce divine. La soif d'acquisition matérielle et les qualités requises pour la satisfaire – le goût du travail et la frugalité – dans lesquelles Max Weber voyait la manifestation de l'éthique protestante et de l'esprit du capitalisme apparaissent ainsi à la fois comme la justification de l'entreprise et le moyen de la réussir.

Le signe de la grâce divine

Pour les puritains, qui vivaient leur foi dans un rapport individuel avec Dieu, la réussite du groupe dépendait de la réussite de chacun de ses membres. Cet individualisme fut renforcé par l'idéologie démocratique et égalitaire de la période révolutionnaire. Alexis de Tocqueville notait à l'issue de son voyage dans la première nation née de la décolonisation : « L'aristocratie avait fait de tous les citoyens une longue chaîne qui remontait du paysan au roi ; la démocratie brise la chaîne et met chaque anneau à part. » L'égalitarisme, lui, créait moins d'individus suffisamment riches et puissants pour dominer leurs semblables, mais un grand nombre d'individus capables de se suffire à eux-mêmes : « Ceux-là ne doivent rien à personne, ils n'attendent pour ainsi dire rien de personne ; ils s'habituent à se considérer isolément, ils se figurent volontiers que leur destinée tout entière est entre leurs mains. »

Le fermier et l'entrepreneur indépendants du XIXᵉ siècle sont les prototypes de ces individus « autosuffisants » qui s'attaquent seuls, avec optimisme, à la Frontière ou à la création de nouvelles industries. Dans leur univers, les circonstances extérieures ne semblent exister que pour être mieux dominées par l'individu entreprenant. Si les impératifs religieux des puritains ne sont plus la motivation première de la réussite, leurs impératifs moraux en demeurent la condition : l'ardeur au travail, la vertu, la philanthropie... L'échec, lui, reste le pire des péchés et non la manifestation d'une quelconque injustice sociale.

Comment cette croyance dans la réussite individuelle a-t-elle résisté à la concentration monopoliste de la fin du XIXᵉ siècle ? En déclarant : « L'heure des coalitions est venue, l'individualisme est mort pour toujours », John D. Rockefeller était-il conscient de balayer une des valeurs essentielles qui avaient soutenu l'esprit des pionniers et nourri l'espoir de millions d'immigrants ? D'autres que lui ont alors bien compris qu'il était essentiel, pour la cohésion même de la société américaine, de réconcilier l'idée de la réussite individuelle avec la réalité des monopoles et de la concurrence exacerbée. Un sérieux réajustement idéologique s'imposait et le « darwinisme social », popularisé par Herbert Spencer, vint apporter une justification apparemment naturelle à l'élimination des « moins aptes » par la concurrence. La réussite individuelle s'inscrivait désormais dans le cadre d'une lutte acharnée pour l'existence et l'ordre naturel des choses remplaçait le plan divin des puritains.

Le self-made man, *un mythe toujours vivant*

Des récits des *self-made men* – plus nombreux dans les livres d'histoire que dans l'histoire américaine – aux romans d'Horatio Alger, dont les héros rencontrent la fortune grâce à leur seule vertu, tout un arsenal littéraire et idéologique a pourtant été nécessaire pour maintenir en vie un optimisme que la réalité bafouait chaque jour pour des millions d'individus. Certes, de nombreux écrivains se sont inscrits en faux contre cet optimisme inébranlable. Dans *La Jungle*, Upton Sinclair écrit des individus broyés par l'industrialisation ; Martin Eden, le héros de Jack London, meurt d'avoir trop voulu réussir et, plus près de nous, dans *Mort d'un commis voyageur*, Arthur Miller présente le rêve illusoire de Willy Loman qui, pour réussir en affaire, a totalement raté sa vie. Mais la volonté de croire au mythe reste la plus forte jusqu'à nos jours, comme en témoigne la vogue des livres prônant le *positive thinking*, version américaine de la méthode Coué, ou les manuels de *self-help* qui sont autant de « Succès, mode d'emploi ».

Même si, depuis la Grande Dépression, on reconnaît plus volontiers que les causes du succès ou de l'échec résident dans des circonstances échappant en grande partie au contrôle de l'individu et si, au cours des années 1960, les Américains semblaient prêts à se tourner vers l'action collective pour améliorer leur sort, les années 1980 ont montré qu'ils préféraient continuer à croire que l'individu était le premier responsable de son destin. Mélange d'éthique protestante, de libéralisme économique classique et de darwinisme social, l'individualisme reaganien a puisé sans compter dans les sédiments idéologiques passés pour justifier son exaltation des riches et sa condamnation méprisante des pauvres, pour remettre la réussite individuelle au goût du jour et l'optimisme au poste de commande. Sa popularité illustre bien la force du mythe, même si les héros reaganiens, les *yuppies* avides de Wall Street, sont aux puritains de Nouvelle-Angleterre ce que Mr. Hyde était au Docteur Jekyll.

(Rédaction : 1990)

4

Peuplement et populations

Le peuplement des États-Unis, une histoire marquée par le pragmatisme

FRANÇOIS WEIL

« Qu'est-ce qu'un Américain ? » demandait Crèvecœur dans les années 1780. Interrogation à laquelle font écho, dans les années 1850, les mots du poète Walt Whitman, que reprit à son compte John F. Kennedy plus d'un siècle plus tard : « Nous sommes une nation de nations. » La diversité des groupes d'arrivants semble en effet le trait principal de l'histoire de l'immigration américaine.

En 1790, lorsque le premier recensement fédéral vient décrire la population de la jeune république, les États-Unis comptent 4 millions d'habitants, dont 95 % sont des ruraux. Les « Américains » sont alors d'origine anglaise à 60,9 %, irlandaise à 9,7 %, allemande à 8,7 %, écossaise à 8,3 % – le reliquat provenant de France, de Suède, des Pays-Bas et d'ailleurs –, sans parler des Afro-Américains. Le peuplement s'étire sur une bande de terre qui va du Maine à la Georgie, avec des incursions au-delà des Appalaches, dans les futurs États du Kentucky (1792) et du Tennessee (1796).

Des milliers d'immigrants européens

Un siècle plus tard, en 1890, la population américaine est passée à 63 millions d'habitants, qui occupent l'ensemble du continent. Les 13 États originels sont devenus 45 et l'administration peut déclarer la « Frontière », cette ligne extrême de colonisation, symboliquement close. Cette croissance a été rendue possible par l'installation aux États-Unis de millions de migrants européens, dont l'administration a effectué le comptage à partir de 1820 (voir tableau).

Pour l'essentiel, ces immigrants européens, auxquels il faut ajouter les arrivants d'Asie (Chine en particulier) et d'Amérique (Canadiens anglophones et francophones), étaient mus par le désir d'améliorer leurs conditions de vie. Rares étaient ceux qui, tels les puritains du XVII* siècle, gagnaient encore les États-Unis pour des raisons religieuses. Guère plus nombreux, malgré une visibilité plus grande qu'illustrent entre autres les émigrants socialistes allemands de 1848 ou les exilés français de la Commune de 1871, étaient les migrants politiques.

Il convient toutefois d'atténuer ce constat en notant qu'aux yeux de nombreux arrivants les vers d'Emma Lazarus (1849-1887) gravés sur la statue de la Liberté (*The New Colossus*) constituaient la promesse d'une vie meilleure, matériellement, mais aussi spirituellement et politiquement. Pour la très grande majorité des immigrants, les États-Unis offraient cette possibilité, et comme l'attestent les lettres d'Amérique adressées aux compatriotes restés au pays, l'idée, fortement exagérée, d'une société fluide était très présente.

Vagues successives

Pendant la plus grande partie du XIXᵉ siècle, la majorité des immigrants fut originaire d'Europe du Nord et de l'Ouest. Allemands et Scandinaves cédèrent le pas dans les années 1840-1850 aux Irlandais chassés de leur pays par la grande famine de la pomme de terre. À la fin du siècle, c'est l'Europe centrale, orientale et méridionale qui devint le grand réservoir de la

IMMIGRATION (1820-2000)					
Période	Nombre[a]	Taux[b]	Période	Nombre[a]	Taux[b]
1820-1830	0,152	1,2	1911-1920	5,736	5,7
1831-1840	0,599	3,9	1921-1930	4,107	3,5
1841-1850	1,713	8,4	1931-1940	0,528	0,4
1851-1860	2,598	9,3	1941-1950	1,035	0,7
1861-1870	2,315	6,4	1951-1960	2,515	1,5
1871-1880	2,812	6,2	1961-1970	3,322	1,7
1881-1890	5,247	9,2	1971-1980	4,493	2,1
1891-1900	3,688	5,3	1981-1990	7,338	3,1
1901-1910	8,795	10,4	1991-2000	9,095	3,4

a. En millions. b. Par rapport à la population résidente. Source : Statistical Abstract, 2002.

migration. Certains Américains xénophobes – on les appelle « nativistes » – en profitèrent, à l'époque, pour distinguer entre une « ancienne » immigration parée de toutes les vertus et une

ORIGINES NATIONALES DES AMÉRICAINS (1990, en millions)	
Européens	**Hispaniques**
Allemands ... 57,947	Mexicains ... 11,587
Irlandais ... 38,736	Portoricains ... 1,955
Anglais ... 32,652	Latino-américains ... 1,113
Italiens ... 14,665	Cubains ... 0,860
Français ... 10,321	Dominicains ... 0,506
Polonais ... 9,366	Salvadoriens ... 0,499
Hollandais ... 6,227	Jamaïcains ... 0,435
Écossais-Irlandais ... 5,618	
Écossais ... 5,394	
Suédois ... 4,681	**Asiatiques**
Norvégiens ... 3,869	Chinois ... 1,505
Russes ... 2,953	Philippins ... 1,451
Gallois ... 2,034	Japonais ... 1,005
Espagnols ... 2,024	Coréens ... 0,837
Slovaques ... 1,883	Indiens ... 0,570
Danois ... 1,635	Vietnamiens ... 0,536

Source : U.S. Bureau of the Census, 1990 Census of Population, Supplementary Reports, Detailed Ancestry Groups for States, 1990. *Les nationalités recensées reprennent telles les déclarations d'appartenance faites par les personnes interrogées ; elles ne correspondent pas à des catégories nationales ou géographiques strictes.*

« nouvelle » immigration chargée de tous les vices. La distinction était spécieuse et négligeait le fait que les Irlandais, en leur temps, avaient fait l'objet des mêmes critiques qui accueillirent dans les dernières décennies du siècle Italiens ou Polonais. Elle faisait fi, surtout, des raisons identiques qui avaient poussé ces millions d'Européens chassés par les transformations socio-économiques de leur pays natal à se laisser attirer par l'aimant américain, en 1910 comme en 1840.

Nationalisme et ethnicité

Lorsque se refermèrent les portes des États-Unis au cours des années 1920 par la mise en place de sévères quotas d'entrée, le peuplement avait en substance la forme qu'on lui connaît aujourd'hui, à l'exception de deux caractères devenus essentiels en cette fin de siècle : l'arrivée depuis les années 1960 de centaines de milliers d'immigrants originaires d'Asie du Sud-Est (Vietnam, Cambodge), et d'Amérique latine.

Deux siècles d'immigration vont ainsi dans le sens des paroles déjà citées de Walt Whitman. Mais cette diversité ne fut jamais incompatible avec un sentiment puissant de nationalisme. Selon les périodes et les circonstances historiques, le sentiment national réduisit au silence les aspirations identitaires de chaque groupe ou, au contraire, leur laissa l'espace et la liberté de s'exprimer. Ce mouvement dialectique a permis au creuset américain – le fameux *melting pot* – de fonctionner avec souplesse et efficacité. Ainsi, malgré des tensions momentanées, par exemple dans les années 1920, la conception américaine s'accommode – et se nourrit même – d'un compromis entre l'identité du groupe d'origine et l'identité américaine. Avec le temps, l'identité « ethnique » est devenue affaire de situations particulières. À l'observateur de la culture et de la société américaines de choisir s'il veut mettre l'accent sur l'identité nationale (comme dans les années 1950) ou sur l'aspect ethnique (comme dans les années 1960). Mais ces deux identités ne sont nullement incompatibles : peut-être est-ce là l'un des résultats les plus importants de l'histoire du peuplement des États-Unis.

Les immigrants ont fourni aux États-Unis un apport démographique et économique exceptionnel. Peuplant la Frontière, s'installant dans les villes, fournissant une main-d'œuvre industrielle essentielle, les immigrants arrivèrent aux États-Unis porteurs de leur culture d'origine et dotés d'un grand pragmatisme. Loin d'être une épopée ou une saga, l'histoire du peuplement du pays fut marquée d'abord par ce réalisme au quotidien.

La conquête de la Frontière

CLAUDE FOHLEN

Les États-Unis sont issus de l'occupation, par vagues successives, d'un territoire très faiblement peuplé et de sa colonisation par une avancée progressive de l'est vers l'ouest, selon le processus dit de la Frontière.

Une première vague, aux XVIIe et XVIIIe siècles, a entraîné la formation, sur l'étroite bande comprise entre l'Atlantique et les Appalaches, des treize colonies originelles, devenues en 1776 les treize États fondateurs. Dès 1763, les colons émettent des prétentions sur les terres situées à l'ouest, mais se heurtent au refus des Britanniques, dont le retrait, en 1783, déclenche l'expansion territoriale. L'ordonnance du Nord-Ouest, en 1787, prévoit une extension en deux étapes : territoire quand la population mâle libre atteint 5 000 habitants, État au-delà de 60 000, avec admission dans la Fédération à égalité avec les autres États. Le premier à profiter de cette procédure est le Vermont en 1791, suivi du Kentucky (1792) et du Tennessee (1796).

En 1803, la cession par la France de la Louisiane marque une étape décisive dans l'extension territoriale : la superficie des États-Unis fait plus que doubler, du golfe du Mexique aux

ORIGINES DE LA POPULATION BLANCHE (1790)			
Anglais	60,9 %	Allemands	8,7 %
Écossais	8,3 %	Hollandais	3,4 %
Irlandais	3,7 %	Français	1,7 %
Irlando-Écossais	6,0 %	Suédois	0,7 %
Total	**78,9 %**		**14,5 %**
		Divers	6,6 %

Source : U.S. Bureau of the Census.

abords de la Columbia, dans le Nord-Ouest, selon des limites très indécises en raison de l'absence de relevés cartographiques. Commence alors la marche vers l'Ouest avec l'avancée de la Frontière, préparée par plusieurs expéditions dont celle de Lewis et Clark (1803-1806), qui ouvrent la route de la rivière Platte et la future piste de l'Oregon. Après l'élimination des Français, ce sont les Espagnols et leurs successeurs, les Mexicains, qui barrent la voie à l'expansion territoriale. À leur tour ils sont éliminés, soit par la force, soit plutôt par des achats de terres. En 1818, ils cèdent la Floride ; en 1836, le Texas se proclame république indépendante, puis demande son annexion à l'Union en 1845. La guerre contre le Mexique est couronnée par le traité de Guadalupe Hidalgo (1848) qui porte les États-Unis jusqu'au Pacifique. La même année, à la nouvelle de la découverte de l'or, des dizaines de milliers d'aventuriers se ruent vers la Californie qui entre dans l'Union en 1850. La configuration définitive de la façade pacifique résulte du partage, en 1846, de l'Oregon avec le Royaume-Uni, le long du 39e parallèle, et de l'achat au Mexique, en 1853, d'une bande de terre, dite Gadsden, au sud-ouest. Les seules additions ultérieures sont extérieures : achat de l'Alaska à la Russie en 1867 pour 7 200 000 dollars et occupation des îles Hawaii en 1898.

La double poussée

Restait à organiser l'espace continental. Ce fut le résultat d'un double mouvement de la Frontière, celui, déjà en cours, de l'est vers l'ouest, et celui, inverse, de l'ouest vers l'est, à la suite de la découverte de métaux précieux dans le Nevada, le Colorado et le Dakota. Dans un premier temps, ce sont les mineurs qui ouvrent la voie, suivis par les éleveurs – les cowboys –, relayés à leur tour par des agriculteurs dès que le fil de fer barbelé les garantit des déprédations des troupeaux. Ce qui symbolise le mieux cette double poussée, c'est la construction des chemins de fer transcontinentaux. Le premier, l'*Union and Central Pacific*, décidé en 1862, construit simultanément à partir de la Californie et du Nebraska, voit ses deux tronçons se rejoindre le 10 mai 1869 au nord du lac Salé dans le futur Utah. Quatre autres transcontinentaux sont ouverts entre 1869 et la fin

La formation du territoire

OREGON 1846

1818

Territoires fédéraux en 1783

Les 13 États d'origine en 1783

LOUISIANE 1803

1848

CALIFORNIE

ÉTATS-UNIS 1783

NOUVEAU MEXIQUE

1853

TEXAS 1845

FLORIDE 1819

1814

1810

0 500 km

Acquisition de territoire sous souveraineté :
- de la France
- de l'Espagne
- de l'Angleterre
- du Mexique

Expansion territoriale ultérieure :
Alaska : acheté à la Russie en 1867
Hawaii : annexé en 1898

La constitution de l'Union

WASHINGTON 1889

MONTANA 1889

DAKOTA DU NORD 1889

MINNESOTA 1858

MAINE 1820

VERMONT 1791

MASS.

NEW HAMP.

OREGON 1859

IDAHO 1890

WYOMING 1890

DAKOTA DU SUD 1889

WISCONSIN 1848

MICH. 1837

NEW YORK

RHODE ISLAND

CONN.

NEVADA 1864

UTAH 1896

COLORADO 1876

NEBRASKA 1867

IOWA 1846

OHIO 1803

PENN.

NEW JERSEY

ILLINOIS 1816

INDIANA 1818

VIRGINIE OCC.

DELAWARE

CALIFORNIE 1850

KANSAS 1861

MISSOURI 1821

KENTUCKY 1792

VIRGINIE

MARYLAND

TENNESSEE 1796

CAROLINE DU N.

ARIZONA 1912

NOUVEAU-MEXIQUE 1912

OKLAHOMA 1907

ARKANSAS 1836

ALABAMA 1819

CAROLINE DU S.

MISSISS. 1817

GEORGIE

0 500 km

TEXAS 1845

LOUIS. 1812

FLORIDE 1845

Les 13 États d'origine

1859 Date d'entrée d'un État dans l'Union

Alaska : 1959
Hawaii : 1959

© Éditions La Découverte

du siècle, deux au nord (*Northern Pacific, Great Northern*), deux au sud (*Atchison Topeka Santa Fe, Southern Pacific*).

La construction des chemins de fer s'est faite dans un désert humain qui s'est peuplé très lentement. Même si, en 1890, le commissaire au recensement relève qu'on « peut à peine parler d'une frontière », un grand vide subsiste encore. L'Utah n'est admis qu'en 1896, l'Oklahoma, ex-territoire indien, en 1907, suivi en 1912 par le Nouveau-Mexique et l'Arizona, derniers des quarante-huit États continentaux, en attendant, en 1959, l'Alaska et Hawaii.

Génocide indien ?

Nelcya Delanoë

En décembre 1948, l'Assemblée générale des Nations unies approuvait la Convention pour la prévention et la répression du crime de génocide : « crime du droit des gens... commis dans l'intention de détruire, ou tout ou en partie, un groupe national, ethnique, racial ou religieux » (art. I et art. III). C'est seulement en 1988 que le Congrès américain a ratifié ce document. Une telle résistance a été justifiée par divers arguments dans des débats où la cause des Indiens était singulièrement absente.

Les chiffres, pour autant qu'ils existent et soient fiables, peuvent fournir des éléments de réflexion. Mais les estimations sont divergentes : la population aborigène des États-Unis varie, avant 1492, entre 3 et 10 millions. Le recensement de 1896-1897 ne dénombrait plus que 254 300 Indiens aux États-Unis contre 1 420 400 presque cent ans plus tard (1986). Celui de 2000 comptabilisait 2,5 millions d'«Amérindiens» et 4,1 millions d'«Amérindiens et autres» (le Bureau du recensement a reconnu pour la première fois le métissage des citoyens).

La destruction massive, sinon totale, des populations indiennes est donc incontestable lors de la colonisation. Y ont contribué plusieurs séries de facteurs, tous déclenchés par les conquérants quels qu'ils fussent. Les épidémies ont frappé d'abord, véritables fléaux qui ont non seulement décimé des populations mais des sociétés entières qui voyaient leur organisation socio-culturelle attaquée par des puissances « maléfiques » incontrôlables. Les guerres ensuite, modernes de style européen, avec destruction complète des villages, des récoltes et des survivants, ont fait chanceler un ordre ancestral et répandu des tactiques et des stratégies meurtrières. Les sociétés indiennes se sont par ailleurs trouvées précipitées dans une économie de marché où elles ont dû jouer la rivalité et l'expansion marchandes, bouleversant la chaîne écologique qui préservait leur mode de vie (destruction du castor pour l'exportation de la fourrure ; empiétements sur les territoires voisins, déstabilisations régionales).

Un pillage organisé

Enfin, une fols le nouvel État-nation proclamé, les États-Unis ont mis au point un système institutionnel contraignant : traités léonins et jamais respectés, comme, dès 1778, le premier traité américano-indien, avec les Delaware ; embrigadement culturel violent (les missionnaires imposaient la coupe des cheveux, le costume européen et interdisaient la langue, la religion, les coutumes autochtones) ; système des comptoirs, avec monopole étatique de vente et d'achat aux Indiens et endettement organisé ; système des réserves (zones de surveillance et d'enfermement) et des internats éloignés (surveiller et punir les enfants) ; déportations, par les plus grands froids et sans soutien logistique (1838, la Piste des larmes, 1 500 morts, un par kilomètre parcouru) ; distribution des terres tribales aux compagnies de chemin de fer ; destruction de la base vivrière (extermination du bison à la mitrailleuse) ; assassinats politiques (Sitting Bull, 1890) ; massacres de populations civiles (Wounded Knee, 29 décembre 1890) ; morcellement obligatoire de vastes terres communes en lopins individuels (1887). Les causes de tant de violence sont multiples, mais le résultat net en a été l'acquisition légale, et légitimée, des terres indiennes par le gouvernement fédéral. Terre d'émigration, les États-Unis pouvaient ainsi s'ouvrir aux nouveaux venus, s'agrandir et prospérer.

Pourtant, les Indiens ont toujours résisté à l'agression, pacifiquement ou en guerroyant. Dès le XVIe siècle, ils se sont à la fois adaptés et maintenus hors d'atteinte, jouant la règle de tous les jeux pour survivre à tant de dangers divers. Aujourd'hui, les Indiens continuent de se battre, essentiellement devant les tribunaux auxquels ils demandent de dire le droit à partir d'un vaste corpus de lois, de traités et de décisions de la Cour suprême qui, depuis deux cents ans, sont chargés de les protéger... Ils gagnent souvent, des dommages et intérêts, des restitutions de terres, de biens et de droits (droit de pêche par exemple). Ils se battent aussi sur le terrain culturel, spirituel, patrimonial, social, économique («boom» des casinos indiens), politique. Des délégués indiens ont ainsi participé, aux Nations unies, à l'élaboration d'une *Déclaration des droits des peuples autochtones*.

Jusqu'à quand une « question noire » ?

JACQUES PORTES

En 1944, à la suite d'une commande, le sociologue suédois Gunnar Myrdal (1898-1987) publie *Le Dilemme noir* qui fait le point sur la situation des Noirs aux États-Unis. À cette époque subsiste une ségrégation féroce dans les États du Sud, alors que les Noirs venus travailler dans les usines du Nord et de l'Ouest commencent à manifester pour leurs droits. Cette contradiction est apparue dès la fin du XIXe siècle. Alors que la Constitution des États-Unis avait fait des Noirs des citoyens, en 1865, ceux-ci avaient été exclus du vote et soumis aux règles étroites de la ségrégation : aucun mélange racial, aucune promiscuité dans les lieux publics. Les leaders noirs ont prôné soit la soumission en préparant des jours meilleurs, comme Booker T. Washington (1856-1915), soit la revendication de tous leurs droits, sans réel effet, sinon la formation de la NAACP (National Association for the Advancement of Colored People) en 1909.

Les deux guerres mondiales apportent toutefois des changements : les Noirs, qui habitaient à 90 % dans le Sud, ont commencé à migrer vers le Nord à partir de 1915, puis ont participé, à une place secondaire mais réelle, à la Première Guerre mondiale, ce qui n'est pas sans expliquer une résurgence du Ku Klux Klan (KKK). Au cours du second conflit mondial, l'emploi, qui avait souffert de la crise de 1929, s'améliore, et la guerre donne ainsi aux Noirs une possibilité de promotion. En 1948, le président Harry Truman (1945-1953) ordonne la déségrégation de l'armée. Toutefois, ce n'est qu'en 1954 que la Cou suprême condamne la ségrégation scolaire, mettant à bas tout l'édifice.

Des droits civiques au « Black Power »

Les Noirs qui ont activement participé à cette décision poursuivent la tâche. À partir de 1960, la lutte pour les droits civiques, avec pour leader Martin Luther King, va aboutir au démantèlement total de la ségrégation dans le Sud et à l'affirmation de l'égalité des droits. Dans le même temps, des Noirs du Sud protestent contre le racisme et leur condition inférieure et prônent la lutte violente, à l'instar de Malcolm X.

En dépit des mesures sociales prises par l'administration de Lyndon B. Johnson (1963-1969), les améliorations sont lentes et incomplètes ; des émeutes raciales éclatent à partir de 1965 dans les grandes villes. Le mouvement noir se radicalise, alors que M. L. King, qui aurait pu incarner une autre voie, est assassiné en 1968. La revendication du *Black Power* (pouvoir noir) rappelle la campagne de Marcus Garvey dans les années 1920 : les Noirs doivent compter sur leurs seules forces et s'opposer par tous les moyens au racisme blanc. Le parti des Panthères noires (Black Panther Party) adopte des positions révolutionnaires, mais subit, dans les années 1970, une vigoureuse répression policière. L'intégration pacifique n'aboutit qu'à des résultats partiels. M. L. King, avant sa mort, avait commencé à douter de ceux-ci, mais la violence et la séparation des Noirs du reste de la société sont impossibles. Si la condition des Noirs – qui choisissent dans les années 1970 de s'appeler Africains-Américains – s'améliore dans le Sud, où ils sont environ 40 % (accession aux emplois, élections de maires, etc.), la situation est plus complexe dans le reste du pays. Les mesures prises pour compenser le handicap racial, l'*affirmative action* (discrimination positive), ont permis de former des cadres noirs qui trouvent de l'emploi au gouvernement fédéral comme dans les entreprises, et ont abouti à l'émergence d'une classe moyenne noire, comme à celle de politiciens africains-américains : des villes comme Chicago, New York, San Francisco auront eu des maires noirs avant la fin du XXe siècle. En revanche, un tiers des Noirs des villes sont restés englués dans la pauvreté, la violence et la drogue, restant à l'écart des progrès éducatifs et sociaux. Il n'y a plus d'organisation militante pour toute la communauté, ce qui explique le renouveau de la Nation de l'islam (Nation of Islam) dirigée par Louis Farrakhan (1933-), radicale et marginale, mais seule à offrir un projet qui paraît riche de promesses à certains.

Inégalités sociales et racisme persistants

En une trentaine d'années, les progrès accomplis par les Africains-Américains, qui représentent 12 % de la population des États-Unis, ont été considérables. La ségrégation a disparu totalement et de plus en plus de Noirs font des études supérieures et accèdent à des postes de responsabilité. Pourtant, la lutte contre la pauvreté n'est pas venue à bout des conditions inacceptables et le racisme n'a pas disparu : des églises noires ont brûlé dans le Sud en 1996, et certains Africains-Américains continuent à penser que toutes leurs difficultés sont voulues par les Blancs ; ils se révoltent contre la concurrence des immigrants récents, comme l'ont montré à New York et à Los Angeles, dans les années 1990, les violences contre les commerçants coréens. D'ailleurs, la revendication de la suppression d'une *affirmative action* qui ne servirait plus à rien a progressé dans l'opinion. La croissance économique durable enregistrée à compter de 1992 est pourtant parvenue à créer des emplois bénéficiant à certains habitants des quartiers les plus défavorisés.

Le dilemme noir a sensiblement évolué, mais il subsistait encore au début du XXIe siècle.

L'Amérique, creuset ou kaléidoscope ?

SOPHIE BODY-GENDROT

Pendant la Première Guerre mondiale, la remise des prix aux étudiants des cours d'anglais de l'entreprise Ford à Detroit donnait lieu à une cérémonie rituelle appelée *melting pot* (le creuset) à laquelle assistaient quelques milliers de spectateurs. Devant une toile de fond représentant un bateau amarré à Ellis Island trônait, orné d'une banderole à la gloire de Ford et du *melting pot*, un énorme creuset auquel on accédait à partir d'une passerelle. Chaque élève quittait alors le navire pour pénétrer dans le chaudron. « Tout le monde pouvait lire la fierté rayonnant sur les visages de ces deux cent trente ex-étrangers qui se pressaient en agitant des petits drapeaux, symboles du processus de fusion qui transforme des immigrants mal dégrossis en fidèles Américains », rapporte un observateur.

Le dialogue qui suivait était toujours le même : « Voilà une cargaison de deux cent trente immigrés ! » lançait une voix, « Envoie-les, on verra ce que le creuset peut faire pour eux. » Six appariteurs munis de longues louches agitaient alors le brouet. « Surtout, remuez bien », recommandait leur chef. Du creuset émergeaient alors un drapeau, puis le premier des « produits finis », agitant son chapeau, suivi des autres. « Les haillons qu'ils portaient au sortir du bateau avaient été remplacés par de beaux habits. Ils avaient l'air américain... "Êtes-vous des Polonais-Américains ?" leur demandait-on. "Non. Des Américains", car on leur avait appris chez Ford que le trait d'union est un signe négatif... »

Cette symbolique du *melting pot*, telle qu'on la trouve encore de nos jours sous des formes moins imagées, invite à une interrogation sur l'origine de ce mythe, sur ses variantes, sur sa rentabilité, sur ses excès et, par conséquent, sur les réactions qu'il suscite à différentes périodes de l'histoire américaine pour se demander s'il est encore utile.

Le mythe de l'homme nouveau

Depuis le début du XXe siècle, *The Melting Pot* d'Israel Zangwill, pièce jouée pour la première fois à Washington en 1908 et peu représentée depuis, a fait couler beaucoup d'encre. Elle célèbre l'asile offert aux réfugiés, démontre le bien-fondé des mariages exogamiques, passe sous silence, comme chez Ford, la richesse apportée à l'Amérique par la diversité des immigrants et s'en tient au processus de transformation et aux produits « finis ».

Si le terme de *melting pot* est neuf aux États-Unis à cette époque, les idées le sont moins. J. Hector St. John Crèvecœur, qui fit publier à Londres en 1782 les *Lettres d'un fermier américain,* a sans doute été le premier à élaborer cette notion. À travers une histoire familiale, il parle sans le nommer du creuset américain où « les individus de toutes les nations se fondent en une nouvelle race d'hommes », du « métissage hétérogène qui donne naissance à un Homme nouveau, de la race que l'on appelle Américain ». À la suite de Crèvecœur, d'autres essais sur la régénération des immigrants enrichirent le mythe du Nouveau Monde, de la terre nourricière, de la Cérès de l'Âge d'or qui mène à la statue de la Liberté. Parmi ces images, courantes au XVIIIe siècle, une allégorie plus spécifiquement américaine s'introduisit, celle de Pocahontas, princesse indienne et mère féconde, Amérique dont la descendance « choisie et préférée » forme une nouvelle race, purifiée de ses origines européennes, régénérée.

Ces notions d'élection et de résurrection, en raison des circonstances historiques de la colonisation américaine, ont des connotations religieuses et la grâce dont la divine Providence a touché l'Homme nouveau a été une constante depuis les premiers écrits des puritains jusqu'à nos contemporains. Quand il accepta l'investiture du Parti républicain en 1980, Ronald Reagan s'écria : « Pouvons-nous douter que seule une divine Providence a fait de cette terre, cette île de liberté, un refuge pour tous ces peuples qui dans le monde entier aspirent à être libres, juifs et chrétiens souffrant de persécution derrière le rideau de fer, *boat people* du Sud-Est asiatique, de Cuba et de Haïti… ? » Mais pendant longtemps, l'admission au sein du peuple élu est passée par une sélection féroce dont les critères n'excluaient ni le racisme, ni l'intolérance religieuse, ni les arrière-pensées économiques.

Le pacte idéologique

La notion d'une singularisation par la Providence d'hommes qui se sentent investis d'un rôle messianique distingue les États-Unis et la forme particulière de nationalisme qui en découle. Au départ, comme en France, l'unité politique et non l'hérédité biologique a été constitutive de la nation. Mais alors que la nation française combine l'opacité d'une continuité pluricentenaire avec la transparence d'une rupture révolutionnaire, la nation américaine est, elle, un artefact, une création constituée en l'absence de toute matrice organique, historique et culturelle, par la seule adhésion volontaire d'individus aspirant à la liberté et à la souveraineté populaire. D'où cette idée d'hommes nouveaux :

ORIGINE DES IMMIGRANTS (en % des immigrants)							
Région d'origine	1955-1964	1961-1970	1971-1980	1981-1990	1991-2000	2001	2002
Europe	50,2	37,1	17,1	9,6	14,4	16,5	16,4
Asie et Océanie	8,1	14,5	39,3	38,9	32,3	33,4	32,7
Amérique latine (y compris Caraïbes et Amérique centrale)	14,7	25,3	25,1	24,6	22,7	23,3	22,6
Amérique du Nord (y compris Mexique)	26,4	22,0	16,0	24,2	26,3	21,5	22,5
dont Mexique	..	13,3	13,6	22,5	24,8	19,4	20,6
Afrique	0,7	1,2	1,9	2,6	4,2	5,1	5,7
Moyenne annuelle (milliers)	282	334	449	734	910	1 064	1 064

Source : *U.S. Immigration and Naturalization Service,* Statistical Yearbook, *annuel.*

avant même la formation de la nation, les futurs citoyens adhèrent à l'idéologie d'un pacte fondateur qui va les lier, effacer leurs origines diverses, opérer une fusion (*melting*). L'épreuve n'est pas, comme en France, de renoncer à son patois mais, selon la loi de naturalisation de 1802, de répudier son titre, son ordre ou son appartenance aristocratique pour participer à la communauté politique.

Aussi le double citoyen d'un État et des États-Unis peut-il garder une double identité, ethnique et américaine. Mais la capacité à aller et venir dans son ethnicité, selon les circonstances et les choix de l'individu, n'existe que si n'est pas mise en doute l'allégeance à la culture civique américaine, unificatrice, fondée sur des mythes, des institutions, des héros et des aspirations partagées.

Pourtant, lors de la remise des prix chez Ford, on ne fêtait pas les Américains à trait d'union mais leur mise au pas. Parallèlement à la rhétorique célébrant la terre d'asile, les pires excès de l'intolérance se développèrent à l'égard des immigrants, trop nombreux, trop différents, « inassimilables ». Dès les débuts de la jeune République, les *Anglos* voulurent imposer leur suprématie. L'un des Pères fondateurs, John Jay, « oubliait » même les origines des États-Unis lorsqu'il évoquait « un seul peuple uni, peuple issu des mêmes ancêtres, parlant la même langue, professant la même foi, attaché aux mêmes principes de gouvernement, uniforme de mœurs et de coutumes ». Tandis que Thomas Jefferson puis Abraham Lincoln défendaient la liberté de religion et de mœurs, la présence étrangère fut combattue dès 1845 par des groupes nativistes, inquiets de la concurrence économique et des effets du « mélange de races sur la virilité et le progrès social du pays... » Une conception étroite, blanche, anglo-saxonne, protestante (*WASP : White Anglo-Saxon Protestant*), eugénique s'impose, qui aboutit à la restriction de l'immigration et à la politique des quotas.

Les WASPs et les autres

L'immigration de masse posait la redéfinition de la communauté politique, de ses limites, donc de l'altérité acceptable et acceptée. Jusqu'alors, le Congrès s'était contenté d'énumérer les critères qui rendaient certains individus « indésirables ». Dès la fin du XIXe siècle se mit en place un filtrage plus structuré. Devaient être refoulées les « races » qui ne ressemblaient pas à la « famille ». Les manuels scolaires chargés de socialiser les enfants d'immigrants expliquaient ce qu'est un Américain : le fondement de l'américanité était désormais de tradition anglaise. Adieu, Crèvecœur ! Le manuel de David Saville Muzzey, qui fut en usage de 1911 à 1976, montre clairement la coupure entre « nous », les WASPs, et « ces immigrants » que nous avons dû américaniser pour en faire des citoyens de peur qu'ils ne deviennent un « élément non digéré et non digérable dans notre corps politique et une menace constante pour nos institutions libres ».

Parfois, en matière d'instruction, la Cour suprême est intervenue en faveur des libertés. En 1919, le juge McReynolds dit qu'il comprenait le désir des parlements de l'Iowa, du Nebraska et de l'Ohio d'encourager la formation d'un peuple homogène partageant les mêmes valeurs. La Cour suprême, expliquait-il, sait bien que certaines communautés utilisent des mots étrangers, suivent des dirigeants étrangers, évoluent dans un milieu étranger et, donc, que leurs enfants auront du mal à devenir les meilleurs citoyens. Mais interdire dans les écoles publiques l'enseignement des langues d'origine, de l'histoire de chaque communauté et de ses héros est incompatible avec les droits fondamentaux américains. Dans ce pays, insistait à nouveau la Cour en 1925 et 1926, les parents ont le droit de choisir les enseignants qui donneront à leurs enfants l'instruction la plus appropriée, même si cela encourage la persistance des langues et des coutumes d'origine, car ces droits fondamentaux protégés par la Constitution « appartiennent autant à ceux qui parlent d'autres langues qu'à ceux qui sont nés dans la langue anglaise ». La liberté accordée à tous les Américains empêche l'État d'intervenir pour « uniformiser ses enfants... L'enfant n'est pas la créature de l'État ».

En protégeant les cultures d'origine, la Cour suprême allait à l'encontre de l'esprit du temps, celui de l'assimilation. Contrairement à la légende, l'américanisation – et non la « waspification » – des immigrants européens devait prendre environ cinquante ans et elle allait être accélérée par la fermeture des frontières et par l'engagement dans le second conflit mondial. La situation d'infériorité dans laquelle ils étaient tenus devait, par contrecoup, fortifier leur ethnocentrisme. Fragmentés jusqu'alors, ils allaient jouer un rôle politique croissant. « Ce n'est pas par fusion que s'est créée la nation américaine, mais par juxtaposition de strates successives de minoritaires, cantonnées par la société dominante dans les classes qui servent ses intérêts propres... Face aux faits, l'idéologie du *melting pot*... apparaît aujourd'hui comme une supercherie », s'indigne Rachel Ertel dans *En marge*.

Le melting pot, une supercherie ?

Au début des années 1960, Nathan Glazer et Daniel P. Moynihan contestaient, eux aussi, cette notion : « Ce qui caractérise le *melting pot*, c'est qu'il n'a pas eu lieu... »

La révolte des exclus remettait en cause la fiction selon laquelle l'Amérique avait assimilé ses diverses composantes et elle soulevait avec une acuité particulière la question de la race, ce fardeau de l'homme blanc qui, depuis la *Déclaration d'indépendance*, n'avait jamais cessé de hanter l'Amérique. Dès la construction de la nation, les Amérindiens et les Afro-Américains avaient été hors jeu. Les auteurs de la *Déclaration* voyaient dans les Indiens « d'impitoyables sauvages » et la « Destinée manifeste » des conquérants justifiait leur exclusion sinon leur extinction. Parallèlement, des distinctions légitimées par les institutions enfermaient les Noirs dans un système de caste.

Trois cents ans plus tard, Malcom X résumait la manière dont les Afro-Américains percevaient « les autres » : « À peine sortis du bateau… tout ce qui vient d'Europe, tous ces machins aux yeux bleus, ils sont déjà américains. Ce n'est pas d'être né ici qui vous rend américain, on n'a pas besoin de lois sur les droits civiques pour faire d'un Polak un Américain… » Des citoyennetés de première, seconde ou troisième classe singularisaient, en effet, les minorités raciales. Les Chinois, les Japonais, les Portoricains, les Mexicains ont tous souffert de pratiques discriminatoires intenses et stigmatisantes mais sans la persistance historique qui condamne encore une partie des Noirs à être des *outcasts*. Si dans certains pays, la France par exemple, l'idéologie classe les populations selon leur résistance à l'assimilation culturelle, la pensée eugénique américaine fonde, elle, sa stratification sur le sang. Ainsi, plus de trente ans après l'arrêt de la Cour suprême invalidant les barrières légales aux mariages interraciaux, le taux de ceux-ci restait obstinément limité à 0,6 % de l'ensemble des mariages enregistrés (soit 300 000 sur 55,3 millions selon les données de 1998). 93 % des Blancs et des Noirs pratiquaient l'endogamie ; ce taux s'élevait à 70 % pour les Asiatiques et les Hispaniques.

On l'aura compris, la société américaine demeure fondamentalement fragmentée et la culture civique qui, indéniablement, cimente la nation ne masque pas de grandes cassures raciales. Aussi peut-on s'étonner : plus de deux cents ans ont passé depuis la célébration par Crèvecœur du creuset et, pourtant, ses détracteurs continuent à l'entretenir par le déni même qu'ils en font. Tout se passe comme si chacun, avec ses raisons propres, avait besoin de la référence au *melting pot* : les Américains intégrés, pour entretenir l'histoire de leur nation et nourrir leur mythologie ; les minorités encore marginalisées, des Juifs de la fin du XIXᵉ siècle aux groupes immigrants d'aujourd'hui, afin de justifier leur souhait de profiter des bienfaits d'une civilisation qui a réussi sans contraindre ses bénéficiaires à renoncer à leur culture. Mais ce mythe est ambigu et personne n'est dupe : n'accéderont au pot commun que ceux qui auront fait allégeance à la culture américaine et auront oublié, à l'exception de leurs manifestations symboliques, leur langue maternelle, leur organisation sociale et leurs croyances d'origine.

La population des États-Unis : vers de nouveaux équilibres

JEAN-CLAUDE CHESNAIS

La population des États-Unis, 4 millions d'habitants en 1790, lors du premier recensement, dépassait 5 millions en 1800 et atteignait 67,6 millions en 1900. Cette forte croissance, sur un territoire qui s'était accru, résultait de vagues migratoires successives, mais aussi de la fécondité élevée des Blancs et des Noirs. Un nouveau doublement de la population a eu lieu entre 1940 (132 millions d'habitants) et 1995 (265 millions). En 2003, les États-Unis comptaient 294 millions d'habitants, occupant ainsi le 3e rang mondial, loin derrière la Chine (1 304 millions) et l'Inde (1 065 millions).

Après un recul temporaire, l'immigration, toujours majoritairement originaire d'Europe, avait connu une vague très ample de 1880 à 1914, avec un pic dans la décennie précédant la Première Guerre mondiale (plus d'un million d'entrées par an). En 1924 intervient une politique de quotas par nationalités qui instaure une préférence en faveur des immigrés originaires des pays anglo-saxons. Son impact et surtout l'incidence de la Grande Dépression et de la guerre font chuter le flux des nouveaux arrivants. Au lendemain du conflit, l'immigration redémarre, mais elle ne dépasse le seuil des 200 000 arrivées annuelles qu'en 1950, pour une population qui est alors le double de celle de 1900 (151 millions contre 76). Il faut des chocs politiques, comme l'invasion de la Hongrie par l'Union soviétique en 1956, pour que le flux annuel dépasse 300 000.

Secouée par les effets de la grande crise (chômage de masse, faillites, chute du pouvoir d'achat), la société américaine est démoralisée. Sa fécondité tombe, dès 1933, à 2,1 enfants en moyenne par femme, au lieu de 3 en 1920-1928. Avec la politique de grands travaux, puis le réarmement et l'entrée en guerre, le plein emploi revient. Alors se produit un phénomène inattendu : le *baby boom*. Amorcé timidement en pleine guerre (1941-1942), il prend sa véritable dimension au lendemain du conflit ; de 1947 à 1964, chaque année, l'indicateur conjoncturel est supérieur à 3 enfants par femme, 3,3 en moyenne. Pendant près de 30 ans, de 1942 à 1970, il reste supérieur ou égal à 2,5 enfants en moyenne par femme.

Évolution de la composition de la population

En 1965, la loi sur l'immigration est revue et le système de quotas supprimé. La discrimination raciale est abolie au profit d'un système complexe accordant une grande place aux travailleurs qualifiés. Du coup, l'immigration asiatique se trouve relancée. Dès les années 1970, l'immigration légale originaire d'Asie représente le double de celle qui provient d'Europe : l'Europe du Sud, comme celle du Nord, est en effet devenue un continent d'immigration.

L'immigration est redevenue forte en valeur absolue, surtout à partir du début des années 1980, avec des flux d'entrants permanents comparables à ceux du début du siècle (près d'un million par an). Cependant, rapporté à la population, le taux d'immigration actuel n'a rien d'exceptionnel ; il est près de deux fois moins élevé que celui observé lors de la grande vague de peuplement des années 1845-1914 (4,4 ‰ en 1991-1994, 7,5 ‰ en 1860-1910). Mais la transformation des courants migratoires est radicale. Il s'ensuit une modification progressive de la composition ethnique de la population américaine.

La « question noire » est ainsi en passe de se trouver relativisée. En 1964, l'égalité politique des Noirs a été reconnue et la ségrégation interdite dans tous les lieux publics. La part des Noirs dans la population semble désormais stabilisée autour de 12 %, après avoir fortement reculé à la suite de la grande vague d'immigration européenne (à l'époque de l'Indépendance – 1776 – un habitant sur cinq était noir). Si le « problème noir » est loin d'être résolu, il n'est plus au cœur des préoccupations sociales.

POPULATION DES « MINORITÉS » (en milliers) OBSERVATIONS, 1980-2000, ET PROJECTIONS, 2030-2050 (variantes basse et haute)						
Année	Hispaniques	Noirs[a]	Asiatiques[a]	Amérin-diens[a]	Population totale	Blancs non hispaniques (%)
Observations						
1980	14 609	23 142	3 563	1 326	226 546	79,6
1990	22 558	29 374	7 080	1 802	249 398	75,6
2000	35 306	34 658	10 243	2 476	281 422	69,9
Projections						
2030	49 834-81 803	39 202-53 604	16 166-30 593	2 573-3 192	291 070-405 089	63,0-58,3
2050	62 230-133 106	40 118-71 863	19 683-47 498	2 793-4 295	282 524-518 903	55,8-50,3

a. *D'origine non hispanique.*
Source : U.S. Bureau of the Census, Statistical Abstract of the U.S., 2002 ; Current Population Reports, 2002.

Une nouvelle composante démographique occupe le devant de la scène : la minorité « hispanique ». Soudée par une langue commune (l'espagnol) et peu éloignée de sa zone de provenance, l'Amérique latine, elle paraît moins désireuse de s'intégrer à la société nord-américaine. Compte tenu du sous-enregistrement qui l'affecte plus que toute autre fraction de la population (forte immigration clandestine), on pouvait l'estimer à 37 millions de personnes en 2001. Elle s'accroît au rythme de 4 % par an, et dès 2000, elle a dépassé la population noire (voir tableau). Si la composante hispanique représente un habitant sur huit, elle accueille déjà une naissance sur cinq.

Une telle évolution n'est pas sans préoccuper les autorités fédérales. Le devenir de la nation s'est, jusqu'à présent, cimenté autour d'une langue unique, l'anglais, malgré la diversité des apports migratoires. Cette unité est aujourd'hui mise en cause par la concurrence croissante de l'espagnol, d'où un bilinguisme de fait et même la disparition de l'anglais comme langue scolaire et véhiculaire dans un grand nombre de localités. L'opinion publique est divisée : la société américaine doit-elle devenir multiculturelle, voire fragmentée ou éclatée ? Ou doit-elle mettre à nouveau l'accent sur l'idéologie du creuset ?

À l'horizon d'une cinquantaine d'années, un remodelage complet du peuplement se dessine, réduisant l'importance de la majorité dominante depuis la colonisation : les « Anglo-Saxons blancs protestants » ou « Blancs non hispaniques », pour reprendre la terminologie actuelle, pourraient voir leur part tomber à 50 % de la population totale, voire moins.

De manière générale, la nation américaine devient de plus en plus diverse et tend à se revendiquer comme universelle. La recherche de la diversité comme source de richesse culturelle et fondement des choix d'apports migratoires est d'ailleurs devenue un objectif explicite et central de la politique d'immigration. Comme l'Australie, les États-Unis tendent à être désormais plus influencés par leur géographie que par leur histoire ; ils se tournent toujours davantage à la fois vers leur façade pacifique – c'est-à-dire vers l'Asie – et vers leur Sud « hispanique », en réalité latin, et amérindien. Au recensement de 2000, la population d'origine mexicaine s'élevait à 22 millions de personnes et la population d'origine indigène (Amérindiens) à 2,5 millions.

La nouvelle carte du peuplement

Entre 1900 et 2000, la population de l'Ouest est passée de 4,3 à 63,2 millions d'habitants, soit de 5,7 % à 22,5 % de l'ensemble de la population des États-Unis. Ce *boom* s'est produit, pour l'essentiel, à partir de 1950, date à laquelle elle comptait 20 millions d'habitants. La nouvelle donne démographique renforce également le poids des États du Sud qui, en 2000, regroupaient 100 millions d'habitants, soit 35,6 % de la population du pays (31 % en 1950). Les régions d'occupation plus ancienne du Nord-Est et du Middle West apparaissaient, en revanche, en phase de stagnation. La géographie économique des États-Unis se déplace ainsi de l'Est vers l'Ouest et du Nord vers le Sud.

La Californie est désormais, de loin, l'État le plus peuplé, avec 35 millions d'habitants en 2001, et un PIB supérieur à celui de la France ; la population y a été multipliée par 20 depuis 1900 et par 3 depuis 1950. L'État de New York, qui a longtemps figuré au premier rang, stagne autour de 18-19 millions depuis 1970 et il est, depuis le milieu des années 1990, également dépassé par le

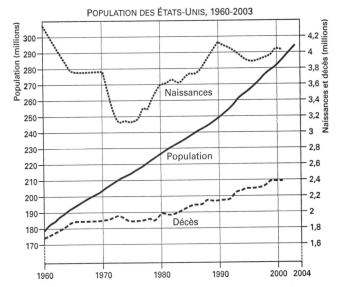

POPULATION DES ÉTATS-UNIS, 1960-2003

Texas (21,3 millions en 2001), où une forte poussée démographique est en cours. Parmi les sept États actuellement les plus peuplés, les trois autres États de l'Est (Pennsylvanie, Illinois et Ohio) sont, à l'instar de celui de New York, en phase de stationnarité démographique, autour de 11 à 12 millions chacun ; leur population a été devancée par celle de la Floride (16 millions). Au total, les sept États les plus peuplés de l'Union rassemblaient 127 millions d'habitants en 2001, soit 45 % de la population américaine.

Deux États, la Californie et le Texas, réunissent la moitié de la population hispanique, et près de 40 % de la population asiatique vit en Californie. Au confluent des trois grands courants de peuplement – européen, latino-américain et asiatique –, la Californie a déjà vu rapidement basculer sa majorité démographique : les Blancs non hispaniques, qui représentaient 66,6 % de sa population totale en 1980, ne formaient plus que 55,4 % du total en 1992 et ils devenaient minoritaires dès 1998-1999. Un retournement démographique analogue était en cours au Texas.

Compte tenu de l'hétérogénéité de la provenance des populations dites hispaniques et en raison de l'importance croissante des mariages mixtes, il convient de relativiser la portée de tels changements statistiques.

Un pays plus jeune que l'Europe des Quinze

Bien que la population des États-Unis soit inférieure de 85 millions à celle de l'Union européenne en 2003, les États-Unis présentent un nombre de naissances équivalent (environ 4 millions par an) et un nombre de décès très sensiblement moindre : 2,3 millions contre 3,7, soit un écart de 1,4 million par an. D'où une différence considérable d'accroissement naturel : moins de 300 000 pour l'Europe des Quinze, plus de 1,5 million outre-Atlantique. Le contraste s'accentue au fil du temps ; l'Union européenne a vu son nombre annuel de naissances tomber de près de 2 millions depuis les années 1960 (6 millions vers 1965, 4 millions vers 2000), cependant qu'aux États-Unis, après le creux des années 1970, le nombre des naissances est, depuis le milieu des années 1980, revenu au niveau qu'il avait atteint vers 1965, soit 4 millions.

Cette divergence est liée à deux facteurs : le plus fort impact du *baby boom* américain, d'où une répartition par âges plus jeune et, depuis le début des années 1980, l'écart de fécondité. Aux États-Unis, la fécondité a connu une légère remontée : de 1989 à 2002, l'indicateur conjoncturel se situait entre 2,0 et 2,1 enfants en moyenne par femme, alors que de 1974 à 1985 il oscillait autour de 1,8. L'Union européenne a vu se produire le mouvement inverse : en 1980, l'indice était de 1,8 comme aux États-Unis ; depuis 1995, il avoisine 1,4 seulement. Cette meilleure résistance à la crise de la fécondité demeure inexpliquée. Tout au plus peut-on avancer quelques hypothèses : persistance de l'esprit pionnier, afflux d'immigrants « hispaniques », force du sentiment religieux, faiblesse du coût de l'espace et de l'énergie…

L'élargissement de l'Union européenne à dix nouveaux membres en 2004 n'aura pas modifié la faiblesse démographique structurelle de l'Europe, non seulement du fait de leur poids : ces pays ne représentent que 74,5 millions d'habitants, soit 27,50 millions de moins que le Mexique – membre de l'ALENA (Accord de libre-échange nord-américain) — à lui tout seul (102 millions). Mais, surtout, du fait de leur très basse fécondité (la plus faible du monde) : ces pays verront donc leur population décroître et vieillir rapidement.

(*Cet article est fondé sur l'étude de Jean-Claude Chesnais « La population des États-Unis depuis 1945 » parue dans* Population et Sociétés, *n° 336, INED, juin 1998.*)

Race, ethnicité et classe

FRANÇOISE BURGESS

En 1982, Susie Guillorie Phipps attaqua en justice les services d'état civil de la Louisiane, arguant qu'elle était injustement déclarée comme de race noire bien qu'ayant l'air d'une Blanche. Elle perdit son procès car une loi de 1970 déclare que toute personne née en Louisiane avec un trente-deuxième de sang noir est un Noir : l'anecdote illustre l'obsession américaine envers ce qu'il est pudiquement convenu d'appeler la « question noire » et l'aberration d'une classification raciale fondée sur de tels critères. Elle pose tout le problème des rôles respectifs de la race, de l'ethnicité et de la classe sociale dans le système américain de hiérarchisation.

La pensée américaine est traditionnellement réfractaire à la notion européenne de classe, trop contraire à l'individualisme américain qui glorifie la notion de choix personnel (*consent*) et refuse, dans l'ensemble, le rôle joué par la naissance (*descent*) – c'est-à-dire l'origine ethnique et sociale – dans l'organisation du pays. La doctrine marxiste de « lutte des classes » est peu recevable dans une nation d'immigrants qui ont gravi sans entrave les échelons de la réussite grâce à leur labeur individuel. Bien que le concept d'une « élite du pouvoir » (C. Wright Mills) ne soit pas nié, la classe n'est qu'une catégorie parmi d'autres et tous croient appartenir à la *middle class*. Le fait que certains théoriciens marxistes (Oliver Cox, Angela Davis) soient noirs est une raison supplémentaire pour qu'ils n'aient pas été entendus.

Comment aborder les sujets de race et d'ethnie sans parti pris ? L'impact émotionnel du mot « race » est tel qu'il y a clivage presque absolu entre ceux qui refusent d'admettre l'existence d'une discrimination raciale endémique comme explication de la hiérarchie des groupes ethniques dans la société américaine, et ceux pour qui elle explique tout. L'idée de race sert à « justifier » la position des citoyens dans la hiérarchie socio-économique du pays alors que les critères retenus sont éminemment subjectifs. Bien qu'i soit communément admis aujourd'hui que le concept de « race » est en fait un phénomène socio-historique, les États-Unis continuent à utiliser une « définition » biologique de race et cela pour désigner l'identité et la position sociale des seuls Noirs. En effet, la discrimination dont furent victimes les Asiatiques appartient au passé : ils font désormais partie de la catégorie des « immigrants modèles ». Les Noirs, encore, sont les seuls auxquels il ne suffit pas de « consentir » aux normes culturelles du pays pour devenir des citoyens à part entière. L'immigration noire se différencie des autres en ce qu'elle représente l'arrivée *involontaire* d'un *groupe*, et non le résultat du *choix* personnel d'*individus* ; l'esclavage a justifié l'infériorité des Noirs, et la « supériorité » blanche est inscrite dans la Constitution.

Assimilation ou pluralisme

Officiellement, l'Amérique a été un *melting pot* d'immigrants d'origines différentes qui ont créé une nouvelle culture spécifiquement américaine. Même les plus optimistes ont pourtant reconnu que l'homogénéisation ethnique n'a pas eu lieu et que l'assimilation s'est faite au prix de l'acceptation des normes culturelles établies par les colons anglais. Ces interprétations correspondaient si peu à la réalité des années 1960 que, avec l'explosion des revendications ethniques, allait naître une nouvelle théorie, celle du « pluralisme culturel » : mosaïque de différentes communautés ethniques, coexistant harmonieusement mais décidées à préserver leur héritage culturel, l'Amérique devenait *a nation of nations*. Chaque groupe ethnique affirmait son identité spécifique, en vertu d'un passé commun, de traditions, d'un héritage culturel partagé et des liens du sang. Dès lors, il était tentant d'assimiler les Noirs à cette revendication ethnique et de ne voir en eux qu'un groupe d'immigrants comme les autres. Après tout, puisqu'ils avaient conquis l'égalité des droits, au nom de quoi pouvaient-ils encore réclamer un traitement préférentiel ?

Telle est la question qui était posée par les néoconservateurs au début des années 1990. Elle ne tient pas compte des différences de représentation attachées aux termes « race » et « ethnicité » dans la réalité sociale américaine. Le mot « groupe ethnique » a en effet une connotation positive : il est perçu comme choix et inclusion, et relève de critères culturels alors que le mot « race » évoque, lui, des critères physiques, un groupe exclu, bref, des non-Blancs. De plus, les théoriciens de l'ethnicité déclarent que l'État a pour seul devoir de protéger les droits de l'individu, quelle que soit son affiliation ethnique, alors que les défenseurs des « minorités » insistent sur le devoir de la puissance publique de protéger les droits du groupe, lorsque les membres de ce groupe sont victimes de discrimination.

Certains, comme William J. Wilson, tentaient alors d'éviter le débat en remettant globalement en question l'importance de la discrimination raciale au profit de l'idée de classe, liée à l'éducation et à l'adaptation de la main-d'œuvre aux nécessités de l'emploi. L'émergence d'une bourgeoisie noire et le drame d'un sous-prolétariat noir urbain, incapable de trouver un emploi dans une économie à la recherche de main-d'œuvre qualifiée, sembleraient confirmer ses dires, mais cette théorie n'explique certainement pas la survie de ce qu'il faut bien appeler un système institutionnalisé d'inégalité fondée sur l'idée de race.

Quarante ans de multiculturalisme aux États-Unis

SOPHIE BODY-GENDROT

Dans un roman publié en 1924, Edward Haskell évoque une société pluriculturelle, dépourvue de préjugés et de patriotisme étroit, et l'intitule *Lance, A Society of Multicultural Men*. Si le terme est nouveau, le concept a déjà été imaginé par William James, John Dewey ou Horace Kallen (« La démocratie contre le *melting pot* », *The Nation*, 1915) qui sont à l'origine du multiculturalisme américain perçu comme remède à l'impérialisme politique et culturel des Anglo-Saxons. En dépit d'une rhétorique inclusive et de principes de tolérance, les États-Unis révèlent en effet des tendances xénophobes. La couleur de la peau et les différences culturelles déterminent les droits politiques d'une personne, ses chances sur le marché du travail et la perception qu'elle a de son identité.

Réapparu dans les années 1960 à la suite du mouvement pour les droits civiques, le terme renvoie au souhait de voir reconnaître des groupes jusque-là traités sur un mode inégalitaire, porteurs d'une structure identitaire distincte. Il revendique le désir de vivre ensemble avec des différences démocratiquement reconnues.

La mouvance d'idées et de pratiques auxquelles le terme fait ensuite référence ne s'impose que dans les années 1980 à travers les débats relatifs à l'enseignement et à la nécessité de réformes.

Les politiques d'« action préférentielle » et le « politiquement correct »

En 1965, l'*affirmative action* (« action préférentielle ») consiste à identifier, recruter, promouvoir des « groupes minoritaires », à savoir des ensembles de personnes vivant à l'écart des autres du fait d'un traitement inégal et se considérant comme faisant l'objet d'une discrimination collective. Cette démarche vise à remédier aux injustices ayant frappé les Afro-Américains emmenés de force en Amérique, brisés par l'esclavage et exclus du « rêve américain ». Selon le discours du président Lyndon B. Johnson, il s'agit de « donner quelques longueurs d'avance à des athlètes dont les pieds ont été si longtemps entravés, et, en reconnaissant leurs droits, d'enrichir la société dans son ensemble ». Ces mesures – temporaires – favoriseront l'évolution souhaitée vers une « société aveugle aux couleurs » (« color-blind society »).

Le paradoxe consiste à se saisir de la « race » pour dépasser le racisme. La méthode a donc consisté à amalgamer des populations très diverses en groupes bruns, rouges, noirs, jaunes et féminins, et de créer des catégories minoritaires.

En pratique, 200 000 entreprises de plus de cinquante salariés en contrat avec l'État fédéral dans le cadre de budgets de plus de 50 000 dollars se dotent d'un personnel reflétant la part des différentes minorités sur le marché de l'emploi. Dans les universités, un avantage de 20 points sur 150 est accordé aux « minorités sous-représentées ».

Le second aspect des politiques multiculturelles traite de la « diversité culturelle ». Selon la loi sur l'« héritage ethnique » de 1972, toute personne devrait pouvoir connaître les contributions « différentes et uniques » de chaque groupe ethnique à l'héritage national. Ainsi, dans les manuels d'histoire, de sociologie et d'instruction civique, les nations amérindiennes sont désormais valorisées, de même que la connaissance de l'Afrique. Le langage et les codes de conduite sont modifiés pour « célébrer » les apports culturels des groupes minoritaires et le recours au droit est toujours possible pour modifier des rapports sociaux asymétriques.

Dans ses excès, le *politically correct* (« politiquement correct ») relègue au rang de « particulières » les valeurs occidentales jugées ethnocentriques.

Un bilan controversé

Le bilan de ces politiques est apparu globalement impressionnant et souvent jugé décevant. Ces politiques ont certes apaisé la contestation en offrant une voie de mobilité sociale aux minorités et ont contribué à l'émergence de couches moyennes. En 2001, le nombre d'Afro-Américains et d'Hispaniques diplômés des universités avait triplé par rapport à 1950, mais ces diplômés ne représentaient qu'un tiers de leur groupe. L'exigence de représentativité a été prise en compte à tous les niveaux de la société, particulièrement dans les instances décisionnelles. En permettant à des individus de « réussir » comme les autres grâce à leur compétence et en faisant évoluer les stéréotypes, le poids des déterminismes biologiques a été allégé.

Mais la légitimité de l'action préférentielle destinée à remédier à des torts spécifiques subis par les Afro-américains est demeurée très controversée. En effet, à la suite de visées clientélistes, la loi a été élargie à des Hispaniques, des Asiatiques ou encore à des femmes alléguant des discriminations. Une surenchère de la « victimation » a dilué l'objectif compensatoire. À partir de 1974, des hommes blancs ont alors saisi les tribunaux, contestant une « discrimination à rebours » : étudiants dans les classes préparatoires de médecine ou de droit, petits entrepreneurs, employés du secteur public, tous ont fait état de leur

« mérite » pour dénoncer le *numerus clausus* réservant des places aux minorités.

Les majorités républicaines et, dans les années 1990, des tribunaux plus conservateurs ont entrepris de démanteler une action préférentielle peu populaire et coûteuse. Quatre États l'ont officiellement abolie. Le président Bill Clinton, qui continuait d'en défendre le principe, s'est vu reprocher de faciliter la mobilité sociale de privilégiés – au mérite incertain – au sein des minorités sans se soucier des laissés-pour-compte des ghettos notamment. Dans son essai de 1992 *La Désunion de l'Amérique*, l'historien américain Arthur Schlesinger a dénoncé la « rage ethnicisante », la balkanisation de la culture, la tyrannie des minorités et l'imposition d'une politique d'assignation consistant à arguer de sa différence pour défendre son pré carré. D'aucuns évoquent désormais une Amérique postethnique qui, en réinventant une nation civique parcourue de multiples allégeances, redresserait les excès des dernières décennies.

5

Arts et culture

Qu'est-ce que la culture américaine ?

JACQUES PORTES

En 2004, une telle question peut sembler inutile tellement les manifestations d'une culture américaine sont présentes partout dans le monde, tellement les Américains sont fiers de leurs réalisations culturelles, prêts à les défendre bec et ongles... comme le prouvent la difficulté pour un artiste étranger de percer aux États-Unis, ou l'opposition bruyante des compagnies d'Hollywood à toute mesure – quota ou label national – qui pourrait brimer une expansion considérée comme naturelle.

Pourtant, si on se replace cent ans en arrière, cette même culture semblait presque inexistante ; médiocre appendice littéraire de la Grande-Bretagne, à la remorque des peintres français, pour se contenter de deux exemples. Quelle formidable évolution ! Mais suivant deux axes distincts.

D'un côté, le nombre d'Américains cultivés – au sens européen du terme – a considérablement crû. Autrefois, les riches Américains achetaient des œuvres d'art – d'où la richesse des

musées américains – et venaient s'imprégner de la culture européenne. Puis, au cours du XXᵉ siècle, les États-Unis ont su attirer de nombreux créateurs étrangers. Enfin, dans les cinquante
dernières années, sont apparus beaucoup de remarquables artistes américains. Il suffit d'évoquer, pour montrer leur valeur, les
grandes cantatrices que sont Barbara Hendricks ou Grace
Bumbry, recherchées par tous les Opéras du monde, les architectes tel Ieoh Ming Pei et sa pyramide du Louvre, les roman-
ciers John Irving ou Paul Auster, le cinéaste Woody Allen, plus
populaire en Europe qu'aux États-Unis. De la même façon, les
grands orchestres américains ont atteint une renommée mondiale et, parmi les peintres ou sculpteurs, on trouve certains des
artistes majeurs du moment.

Toutefois, cette merveilleuse réussite américaine n'est pas
vraiment originale, ni spécifique. Ce faisant, les Américains
excellent dans des domaines – ceux de la culture traditionnelle
– où leur apport vient s'ajouter à celui des autres civilisations,
vivifiant mais sans véritable innovation. La place des États-Unis
dans le monde permet, tout au plus, à ces divers artistes de se
faire mieux connaître que d'autres. D'ailleurs, cette forme de
culture a, aux États-Unis, un public important mais qui reste
limité, comme dans les autres grands pays.

Une culture originale

D'un autre côté, les États-Unis ont su inventer une forme de
culture originale authentiquement américaine. La culture traditionnelle est inévitablement élitiste et ne peut correspondre aux
aspirations du plus grand nombre. Dès la fin du XIXᵉ siècle s'est
développée une véritable culture de masse destinée à satisfaire
les goûts de la classe moyenne en formation, et à assimiler les
immigrants. Souvent, d'habiles entrepreneurs ont compris le
profit qu'ils pouvaient tirer de telles manifestations, sans qu'une
caste intellectuelle ne vienne s'indigner ou ne détourne dans ses
cénacles réservés les meilleures d'entre elles. Le spectacle théâtral populaire, dont le meilleur et premier exemple fut le *Wild
West Show* de Buffalo Bill de 1883 à 1913, constitue une nouveauté typiquement américaine : un décor haut en couleur qui
active le souvenir ou le mythe chez tous les spectateurs, une
action simple, mais menée de façon rapide et violente, une

morale de la réussite. Le succès fut considérable aux États-Unis, puis en Europe où Buffalo Bill effectua plusieurs tournées, malgré l'ironie méprisante des critiques patentés. Dans le même esprit, la démesure du cirque Barnum visait le public le plus large.

Il n'est pas étonnant que la comédie musicale, applaudie sur les planches avant de l'être sur les écrans, soit aussi américaine. Là encore, les ingrédients sont relativement simples ; le rythme, la vivacité de l'intrigue et l'efficacité des acteurs pallient la médiocrité des textes ou les incohérences des situations. La grande époque d'Hollywood a su, à merveille, illustrer ce genre et le charme renaît au nom du metteur en scène George Cukor (1899-1983), ou à celui du danseur Fred Astaire (1899-1987). D'ailleurs, le cinéma, sans jamais être exclusivement américain, est un autre fleuron de cette culture de masse.

Les cinéastes et les grandes compagnies de production l'ont toujours compris ainsi, sachant la diversité du public américain ; d'où leur attention à la qualité des histoires, d'où leur souci, parfois excessif, de ne choquer personne. Dans cet esprit, les grands films ont souvent illustré les grands moments de l'histoire des États-Unis ou les temps forts de l'actualité, loin de toute introspection philosophique. Au sein d'une multitude de titres, il suffit de mentionner *Naissance d'une nation* de David W. Griffith (1915), *Autant en emporte le vent* de Victor Fleming (1939) ou *Apocalypse Now* de Francis F. Coppola (1979).

Une culture de masse

Pendant longtemps, d'autre part, la puissance de la littérature américaine, dans son expression la plus connue – John Steinbeck (1902-1968), Ernest Hemingway (1899-1961) ou William Faulkner (1897-1962) –, n'a-t-elle pas été due à ce qu'elle était en prise directe avec la société du moment ?

Plus typiquement américain encore est le jazz ; musique totalement originale, au rythme binaire, dont les liens sont nombreux avec la musique pop. Or il s'agit d'une musique issue du peuple noir, correspondant à ses émotions, sans autre filtre culturel. Le succès, sans être total, n'en a pas moins été considérable, aux États-Unis comme dans le reste du monde, tellement cette musique pouvait correspondre à une sensibilité quasi universelle.

Dans ses diverses formes, la culture originale américaine est bien une culture de masse. Cela explique que réalisateurs et acteurs se soient si facilement adaptés à la télévision. S'adresser à un large public était une préoccupation familière et ancienne, aussi les Américains ont su, avant les autres, proposer des émissions adaptées à des besoins assez généraux pour avoir du succès au-delà des frontières.

La culture américaine a toutefois suscité de nombreuses réactions au sein de la société. Des parents, souvent très religieux, ont censuré au niveau local les productions culturelles, les considérant comme offensantes pour la morale ; d'autres personnes ont protesté contre l'image donnée d'elles dans les films. Les associations de défense des Africains-Américains ont reproché au film *La Couleur pourpre* (1985) de Steven Spielberg de dévaloriser les hommes noirs, les catholiques ont manifesté contre *La Dernière Tentation du Christ* (1988) de Martin Scorcese. La réponse des producteurs est double : d'un côté, ils proposent des films à un public déterminé (femmes, retraités, Africains-Américains) et, de l'autre, des productions à grand spectacle – avec de plus en plus d'effets spéciaux – aux jeunes du monde entier, renouant avec la culture de masse (*Titanic*, 1999). La littérature suit la même voie, avec des auteurs ethniques, mais aussi des best-sellers destinés au plus grand nombre (Michael Crichton ou Stephen King).

Fragmentée, manquant parfois d'imagination créatrice, la culture américaine n'en garde pas moins de puissants atouts pour le XXIᵉ siècle.

La tradition du mécénat

JOHN ATHERTON

Aux États-Unis, la notion même d'une politique culturelle se heurte au refus de voir dans les arts et les métiers artistiques autre chose qu'une activité purement privée. Toute ingérence des pouvoirs publics est d'office suspecte, au point que le gouvernement fédéral n'a que très tardivement consenti à accorder des subventions à la culture – en précisant qu'il ne s'agissait aucunement de dirigisme culturel, mais d'un soutien accordé au nom de la qualité.

Progrès et stagnation du financement public

La période du New Deal fournit le premier exemple d'un effort national de subvention des arts. Dans le cadre d'un programme destiné à assurer du travail aux chômeurs, un ensemble de projets culturels (musique, arts plastiques, théâtre) vit le jour – des projets souvent créateurs, parfois animés d'un esprit militant. Mais des restrictions budgétaires et des enquêtes lancées par le Congrès, inquiet du caractère prétendument subversif que prenaient certaines manifestations, mirent fin à cette initiative. C'est pourquoi 1965, l'année de la création du Fonds national pour les arts (NEA, National Endowment for the Arts), a marqué un tournant capital. Doté au départ d'un budget dérisoire (8 millions de dollars), le NEA a une double mission : repérer et encourager les talents ; assurer une plus large diffusion des œuvres artistiques. La gestion du NEA reste aux mains du gouvernement, mais un comité d'experts indépendants joue un rôle déterminant dans le choix des projets. En dépit de l'offensive lancée contre le NEA par le président Reagan dès son arrivée au pouvoir, le Fonds n'a cessé de croître, son budget pour l'année 1989 s'élevant à 170 millions de dollars. Toutefois, les assauts répétés du Congrès contre ce « gaspillage » des deniers publics ont réduit ce montant à 85 millions de dollars en 2000. La somme peut paraître modeste selon des critères européens, mais l'influence du NEA s'étend bien au-delà de son pouvoir budgétaire ; son soutien à un projet entraîne les apports d'autres sponsorats.

Les années 1960 ont également vu la naissance d'un financement culturel assuré par les États à travers des conseils spécialement créés à cette intention (State Art Councils). L'État de New York a pris les devants dans ce domaine, suivi par la quasi-totalité des autres États – bien que l'effort consenti et le niveau de compétence des administrateurs varient énormément d'un État à l'autre. Dès 1985, le budget global de ce type de financement égalait celui du NEA. En revanche, les conseils d'État sont soumis à des pressions politiques et doivent en outre satisfaire à des exigences d'équité entre les régions concernées.

Une troisième source de fonds publics est constituée par les municipalités ; ici, ce sont les institutions culturelles tradition-nelles, liées au prestige de la ville (orchestres symphoniques et musées), qui se taillent la part du lion. Pour compléter ce bilan de l'aide financière publique, il faudrait citer d'autres program-mes fédéraux tels le Fonds national pour les humanités (National Endowment for the Humanities) – 186 millions de dollars en 1980 mais seulement 102 millions en 2000 –, le sou-tien accordé aux émissions culturelles de la radio et de la télé-vision par la Corporation for Public Broadcasting et (au moins jusqu'à son abrogation en 1982) la loi sur l'emploi et la forma-tion (*Comprehensive Employment and Training Act*) ; ce dernier programme était le seul à s'occuper prioritairement d'accorder des crédits aux activités culturelles des minorités ethniques.

Mécénat et fondations

La source principale de financement culturel aux États-Unis a toujours été – et reste encore – le mécénat privé. Les Américains donnent généreusement et leur temps et leur argent. Toutefois, sur les 85 milliards de dollars que représentait, en 1989, le total des dons individuels, toutes catégories confon-dues, 4 % seulement sont allés à la culture, contre 50 % aux Églises et aux œuvres religieuses ! Sans doute le régime fiscal en vigueur qui permet au contribuable de déduire tout don de ses revenus imposables a joué un rôle primordial d'incitation. Mais un code des impôts plus sévère (adopté en 1986) n'a pas eu l'ef-fet dissuasif redouté, à l'exception toutefois des dons d'œuvres d'art, nettement moins avantagés que par le passé. S'il est vrai que le dégrèvement fiscal constitue une subvention culturelle cachée qui mérite d'être signalée, il n'en reste pas moins une subvention sur laquelle l'État n'exerce aucun droit de regard : le choix est tout entier entre les mains des particuliers.

À partir des années 1920, les fondations philanthropiques créées par les grandes fortunes familiales ont commencé à sub-ventionner les arts. L'exemple fut donné par la Fondation Carnegie ; la Fondation Ford marqua de son sceau les années 1960. Ces institutions (Carnegie, Ford, Rockefeller, Guggenheim, Mellon, Getty) sont organisées comme des entités quasi publiques, visant des objectifs définis au niveau national et ayant à leur disposition des services hautement professionnels – tout en jouissant d'un pouvoir de décision libre de tout contrôle étatique, ce qui explique l'efficacité de leurs interventions. Toutefois, sur les 700 millions de dollars distribués à la culture par les fondations américaines, la majeure partie provient de fondations étroitement liées à des élites locales, qui, peu enclines à s'aventurer hors des chemins battus (et mal armées pour le faire), pratiquent une politique culturelle résolument conservatrice.

Dernier né sur la scène du financement culturel, le mécénat d'entreprise. De 22 millions en 1967, le montant des sommes versées au titre de la culture atteignait 550 millions de dollars en 1988. Les motivations des entreprises sont ambiguës : à la reconnaissance des valeurs culturelles se mêle un souci de créer une ambiance propre à attirer des cadres de haut niveau et à accroître le prestige de la société. Elles misent de plus en plus sur les initiatives culturelles qui ont un lien avec leur politique en matière de marketing, avec une préférence pour le gigantisme : les maxi-expositions et les somptueuses émissions culturelles à la télévision ont leurs faveurs, plutôt que les arts expérimentaux.

Une partie non négligeable de l'activité culturelle aux États-Unis (l'édition, la musique) est commerciale. En revanche, les entreprises qui reçoivent des subventions publiques ou privées sont toutes des associations à but non lucratif (*not for profit*). Il ne s'agit pas d'une distinction simplement économique mais d'une des frontières qui sert à départager la culture « noble » de la culture populaire. Toutefois, même les entreprises culturelles « nobles » sont contraintes de rentabiliser leurs activités, en augmentant les prix d'entrée ou en s'engageant dans des affaires annexes (restauration et boutiques dans le cas des musées, par exemple). Pour survivre, les entrepreneurs culturels doivent devenir des experts-comptables, savoir habiller leurs projets au goût du jour, et les vendre agressivement sur le marché du sponsorat. La compétition est âpre, et les gagnants, ceux qui connaissent le mieux les règles du jeu. Ce système laisse une place réduite à une culture d'essai, et ne favorise guère la démocratisation des arts.

Musées : l'éducation par le plaisir

PHILIPPE DE MONTEBELLO

Les musées américains ne datent que de la fin du XIXᵉ siècle. Les deux plus grands, ceux de New York et de Boston, ont été fondés après la guerre de Sécession, en 1870. Alors que les collections des grands musées européens ont été souvent constituées à partir de collections de familles royales et princières, les musées américains ont été créés *ex nihilo*. Ils sont nés d'une idée motrice, d'une volonté soutenue par un groupe de mécènes enthousiastes. Lorsque le Metropolitan Museum of Art (le Met) fut constitué en société en 1870, il n'avait ni terrain, ni bâtiment, ni financement, ni même de collection. Ses fondateurs, protestants et puritains, avaient pour premier souci l'élévation morale et l'éducation du peuple. Le musée devait former le goût mais aussi réformer. Car les fondateurs du Met attribuaient à l'art des facultés rédemptrices dont l'Amérique, déjà consciente de son matérialisme et alors au comble de la corruption politique après la guerre civile, avait, semble-t-il, fort besoin.

Des musées bien conçus

Les musées américains sont des organismes privés et les seuls fonds publics dont ils disposent – qui fournissent rarement plus de 10 % de leur budget de fonctionnement – proviennent des municipalités, et non du gouvernement fédéral. Leur financement repose principalement sur les donations, les intérêts sur leur capital, les entrées des visiteurs, les cotisations des adhérents, et les activités commerciales qu'ils organisent (boutiques, vente par correspondance, croisières, etc.).

Conçus dès l'origine pour abriter des œuvres d'art, les bâtiments ont été le plus souvent aménagés pour accueillir le personnel, le public, et pour présenter les œuvres d'art dans les meilleures conditions : ils ont été dotés de laboratoires, de réserves et de bureaux généralement adéquats. Les collections ont été le plus souvent constituées selon un plan d'ensemble qui s'efforçait de refléter le mieux possible l'histoire de l'art dans sa totalité (on parle de musées encyclopédiques). Même les petits musées, sans être très riches, présentent toutes les périodes et

Musées célèbres

• **Les grands musées d'art**

– NEW YORK. The Metropolitan Museum of Art (*l'une des plus riches collections du monde avec, entre autres, son musée médiéval,* The Cloisters) ; Museum of Modern Art (MOMA) ; Solomon R. Guggenheim Museum (*à visiter autant pour le bâtiment, dessiné par Frank Lloyd Wright, que pour les œuvres exposées*).

– WASHINGTON. *L'extraordinaire série de musées gérée par la Smithsonian Institution, notamment l'*American Art Museum *avec la* Renwick Gallery, *ainsi que le* Hirshhorn Museum *(sculptures modernes)* ; National Gallery of Art.

– BOSTON. Museum of Fine Arts (*notamment pour les peintres américains*) ; Fogg Museum of Art *de l'université Harvard (collection italienne et dessins).*

– CHICAGO. Art Institute *(impressionnistes et peintres américains).*

– DALLAS. Museum of Fine Arts.

– NEW HAVEN *(CT)*. Yale Gallery of Fine Arts.

– PHILADELPHIE. Museum of Art.

• **Les musées des mécènes**

– BOSTON. Gardner Museum.

– HOUSTON. De Ménil Collection *(surtout pour l'art amérindien).*

– MALIBU *(Californie)*. J. Paul Getty Museum *(tout !... y compris l'une des meilleures bibliothèques d'art du monde).*

– NEW YORK. Frick Gallery *(lun des plus charmants).*

– PHILADELPHIE. Barnes Collection.

– SAINT SIMEON *(CA)*. Hearst Museum.

– WASHINGTON. Phillips Gallery *(impressionnistes).*

• **Les musées des sciences**

Ils sont particulièrement bien conçus.

– CHICAGO. Museum of Science and Industry.

– PHILADELPHIE. Franklin Museum. *Beaucoup d'entreprises ont par ailleurs leur propre musée spécialisé, comme par exemple le* Museum of Glass *à Corning (New York).*

Dans bien des villes américaines, la muséographie excelle dans l'ouverture au public de maisons privées et de bâtiments publics anciens. À titre d'exemples : Natchez (Mississippi), avec ses maisons coloniales, Charlottesville (Virginie), avec la maison de Thomas Jefferson (Monticello) et l'université de Virginie, toutes deux conçues par Jefferson, ou la ville industrielle (textile) de Lowell (Massachusetts).

tendances de cette histoire. (Le Moyen Âge peut n'être représenté que par un ivoire gothique et une statue romane.) Les responsables des musées ont dû opérer un véritable choix, rechercher activement chacune des œuvres à exposer, alors qu'en Europe il a plutôt fallu faire un tri parmi une multitude d'œuvres accumulées au cours des siècles.

Enfin, le fait que les musées du Nouveau Monde se soient donné pour but l'éducation et le plaisir artistiques du public explique qu'ils se soient préoccupés, plus tôt que ceux d'Europe, de la présentation des œuvres et de l'animation culturelle. Mais s'ils ont pu se payer le luxe d'un meilleur éclairage, de meilleures notices, c'est qu'une grande partie du travail de base avait été faite pour eux, dans les musées européens. L'attribution que le conservateur américain notait avec soin sur son étiquette, c'est son homologue à Paris, à Londres ou à Berlin qui la lui avait fournie, après une longue étude menée au détriment de la décoration des salles.

Des affaires qui marchent...

La politique de service du public a pris son essor dans les années 1960. Elle a été poursuivie de telle manière qu'il est permis aujourd'hui de se demander si les musées n'y ont pas perdu leur âme : certes, ils sont de plus en plus accueillants ; on y est souvent reçu par des bénévoles placés stratégiquement près de l'entrée ou à de grands bureaux de renseignement ; au Met, l'immense hall est décoré de grands bouquets de fleurs qui donnent une note de chaleur incontestable à la pierre.

De grands efforts de prospection et beaucoup de publicité ont été faits pour atteindre de larges couches de la population. Des programmes éducatifs sont élaborés sur mesure, sans oublier les groupes spéciaux, les handicapés ; les guides sont publiés dans plusieurs langues ; des visites commentées, des conférences, des colloques, des concerts sont organisés. Les visiteurs disposent de restaurants, de parkings et de boutiques. Enfin, des expositions de plus en plus vastes et éblouissantes se succèdent à un rythme toujours plus accéléré. Résultat : les musées regorgent de monde, leurs boutiques prospèrent, le nombre de leurs adhérents augmente et, à New York notamment, les services de réservation électronique (*ticket-tron*) doivent faire attendre les amateurs de base-ball pour pouvoir répondre aux demandes de billets pour une exposition comme celle d'un Degas. À New York, on compte plus de visiteurs de musées que de spectateurs d'événements sportifs.

Les affaires marchent donc pour les musées, sans parler des locations de salles pour réceptions privées – au Metropolitan, le temple égyptien de Dendur et son parvis servent souvent pour les inaugurations et pour des galas. Mais qu'en est-il de l'œuvre d'art ? Elle semble être de plus en plus reléguée au second plan dans les esprits. Les techniques de promotion et de communication priment sur l'objet que l'on veut faire connaître. Trop d'expositions sont montées à la hâte, pour des raisons commerciales ou politiques. On fait prendre des risques considérables – et inutiles – à des chefs-d'œuvre, et les spécialistes qui en ont la charge ressemblent de plus en plus, qu'ils le veuillent ou non, à des marchands, au mieux à des impresarios. Peut-on encore entendre l'artiste dans l'affairement et le vacarme des musées d'aujourd'hui ?

La littérature contemporaine, jeux de miroirs

MARC CHÉNETIER

La littérature américaine de notre temps, dans ce qu'elle a de plus vivace, de plus vital, de plus novateur, de plus séduisant, s'interroge sur ses fondements mêmes et travaille de l'autre côté du soupçon pesant sur la validité de la création littéraire dans ses rapports au réel. Car s'il est une question que la fiction américaine n'a cessé de tourner et de retourner, c'est bien celle des rapports que peut encore, licitement, entretenir l'écriture avec le monde.

Ce qu'il faut donc retenir de la fiction américaine aujourd'hui (et l'essentiel de ces remarques tient pour ce qui concerne la poésie), c'est que la manière ancienne de penser la distribution par grandes catégories géographiques ou socioculturelles (Juifs, Noirs, Sud, régionalisme…) ne peut plus avoir cours et que la manière actuelle de la concevoir aux États-Unis (genres, minorités sexuelles ou ethniques…) se heurte à trop d'écueils pour être vraiment satisfaisante. L'évolution tient principalement à un réajustement des rapports monde/écriture, qu'il est possible de suivre dans ses modulations.

L'héritage moderniste

Les efforts consentis par les modernistes pour ajuster la représentation aux complexités nouvellement découvertes de la perception et de l'identité, aux éclatements du monde extérieur et à la disparition ou à l'effritement des anciens jeux de valeurs ont certes toujours leur importance pour certains écrivains. Le raffinement de ce travail revint, assez souterrainement d'abord, aux auteurs qui, tels John Barth (*The Floating Opera*, *The End of the Road/L'Opéra flottant*), John Hawkes (*The Cannibal/Le Cannibale*) ou William Gaddis (*The Recognitions/Les Reconnaissances*), ressentaient dès les années 1950, dans un environnement peu favorable aux révolutions esthétiques, le besoin de pousser au-delà du modernisme sans pour autant se détacher radicalement ou trop visiblement des apports de cette tradition. Mais ces années, en particulier, avaient pu laisser croire qu'une manière de réalisme social occupait le haut du pavé.

C'est par une conscience aiguë de l'absurde que le roman à message, célébrateur ou contestataire, a commencé d'évoluer vers la fiction de langue dans les années 1960, même si déjà un Vladimir Nabokov anticipait sur la manœuvre et lançait la fiction de son pays et de sa langue d'adoption vers la conquête jouisseuse du langage (*Lolita*) ; même si un Norman Mailer s'engageait déjà dans des expériences d'hybridation générique intéressantes (*Armies of the Night/Les Armées de la nuit*) cependant que William Burroughs (*Naked Lunch/Le Festin nu*) tailladait les pages et les mots comme on se coupe les veines. Il n'en demeure pas moins que ce sont les noms de Richard Brautigan (*A Confederate General from Big Sur/Un général sudiste de Big Sur*), de Kurt Vonnegut (*Slaughterhouse Five/Abattoir cinq*), de Joseph Heller (*Catch Twenty-Two*) ou de Ken Kesey (*One Flew over the Cuckoo's Nest/Vol au-dessus d'un nid de coucous*) qui identifient le mieux la nature dominante de la fiction des années 1960. L'encre parfois un peu épaisse des modernistes survivants se muait du coup en encre sympathique, se riant de ses effets éphémères et de ses traces contestables où l'affirmation allait s'amenuisant au profit d'une contestation d'apparence légère, une conscience aiguë de l'absurde allant difficilement de pair avec le sentencieux.

Cessant de tendre son miroir à une réalité que même l'œil commençait à avoir peine à saisir, le roman des années 1960 tendait à jouer des effets d'optique plutôt que de se fier à ses reflets ; le réel lui-même était dénoncé comme miroir aux alouettes. Encres fuyantes, écritures primesautières soulignant des sourires désespérés et soulageant de leurs jeux des cœurs lourds plus tentés par l'évasion que par la responsabilité : elles donnèrent au réel ses colorations mouvantes, ses irisations, son vernis, son brillant, évoquant les filtres chromatiques proposés par Boris Vian dans *L'Écume des jours* pour pastelliser les lumières crues d'un monde insupportable. Qu'il fût ou non bilieux ou qu'il se fît un sang d'encre, Brautigan, poursuivant le poisson élusif de sa *Pêche à la truite en Amérique/Trout Fishing in America*, trempait une plume en forme d'hameçon dans le sucre de pastèque.

Limites du modernisme

Il n'est pas sûr que le terme « post-modernisme » permette de mettre l'épithète au collet des productions qui devaient suivre. Ce qui apparaît en revanche à l'envi, c'est qu'au cours des années 1970 les « fenêtres de la maison de la fiction » (Henry James) s'opacifièrent, celle-ci choisissant un temps d'offrir le spectacle de sa propre réflexion : attention soutenue aux formes du langage, aux problèmes de la représentation, impénétrabilité du réel, clins d'œil de la phrase, du mot et même de la lettre, affection pour le grain du langage et compassion pour l'impossible tâche de dire le réel. Non que l'écriture romanesque aux États-Unis abandonnât du même coup tout sens de ses responsabilités, s'écartant ainsi d'une « moralité de la fiction » que le très moderniste John Gardner réclamait à grands cris (*On Moral Fiction*). Mais, délaissant explicitement les flamboiements du romanesque pour les braises de la fiction, des œuvres comme celles de Robert Coover (*The Public Burning/Le Bûcher de Times Square*) ou William Gass (*In the Heart of the Heart of the Country/Au cœur du cœur de ce pays*) s'attachèrent alors à souligner ce que la création littéraire comporte d'engagement constitutif : l'écriture imaginative donne à voir les formes nouvelles proposées pour le monde tout en mettant en évidence les actes de fiction auxquels chacun de nous recourt au quotidien pour donner sens à la vie. L'éthique réintégrait l'esthétique.

Dans le même temps, et sous des plumes complices, s'élaborait une réflexion en profondeur sur les inévitables questions auxquelles se voit confronté l'écrivain : problèmes soulevés par la nature du réel telle que la révèlent les avancées de la science,

par les ébranlements de la causalité traditionnelle et des catégories spatio-temporelles (Don DeLillo, *Ratner's Star* ; Paul
Auster, *City of Glass/cité de verre* ; Thomas Pynchon, *Gravity's
Rainbow/L'Arc-en-ciel de la gravité*, ou Joseph McElroy, *Plus*),
par les mutations de notre saisie du monde engendrées par la
prolifération des médias et de la culture de masse (Max Appel,
the Propheteers/Les Prophéteurs, ou Stanley Elkin, *La
Franchise*) ; perturbations profondes entraînées par le réexamen
du discours sur l'histoire y compris contemporaine (Frederic
Tuten, *Les Aventures de Mao pendant la Longue Marche* ;
Robert Coover, *Whatever Happened to Gloomy Gus of the
Chicago Bears ?/Une Éducation en Illinois* ; E. L. Doctorow,
Ragtime) et le statut du mythe (John Hawkes, *Cassandra* ; Toby
Olson, *The Woman Who Escaped from Shame/La Femme qui
s'évada de la honte,* ou Robert Coover *Pricksongs and
Descants/La Flûte de Pan*) ; enfermements soudain constatés
dans la jungle des textes passés et le labyrinthe des cultures.
Conscience exacerbée du chemin parcouru et des changements
survenus à laquelle ne pouvait échapper une génération entière
d'artistes du langage à qui ne suffisait plus de « raconter des histoires » comme leurs prédécesseurs, c'est-à-dire comme si le
récit allait de lui-même, comme si ses enjeux n'avaient pas à
être affichés : la fiction des années 1970 méditait les leçons héritées de « l'expressionnisme abstrait ».

À l'*action painting* venait se superposer, dans une certaine
mesure, une écriture tendant à la « performance » faute de se
résoudre à une représentation devenue par trop problématique.
Peu ou prou, chacun y fut alors de sa contribution aux « méta-
fictions » reflétant une période – bien rare dans la culture américaine – où le doute eut droit de cité au sein d'une culture
mieux caractérisée par son don pour l'exploration des espaces
que par sa capacité à faire jouer la distance, et qui jamais ne sut,
à l'heure qu'il fallait, lire le scepticisme profond d'un Herman
Melville, les noirs dégoûts d'un Nathanael West ou les échecs
triomphants de Djuna Barnes et William Faulkner.

Nouveaux réalismes ?

Les évolutions ultérieures ont semblé *a priori* justifier une
vision quelque peu cyclique de l'histoire littéraire ; on a trop

parlé de « néoréalisme » et de « réalisme sale » pour que la tentation ne nous en effleure pas. Mais les apparences sont dues à la confusion lexicale régnante. Si les mots ont un sens, comment lier en effet, d'une part, ce que « réalisme » convoque de mimétisme, d'échos de Balzac, Theodore Dreiser ou James T. Farrell, et de l'autre les productions minimalistes, de Brancusi à Samuel Beckett et Donald Barthelme ? Une utilisation protéiforme de « post-modernisme » nous avait déjà invités à la méfiance. À dire vrai, s'il semble bien qu'une partie de la plus jeune génération de créateurs américains veuille effectuer un « retour au monde » (Tobias Wolff), rien n'indique que ce soit sous les espèces d'un simple retour à des conventions narratives d'avant les décennies d'expérimentation.

Parler de « réalisme », pour ce qui concerne la fiction toute contemporaine, c'est couvrir à la hâte d'une feuille de vigne respectable de coupables nudités. Tout le mal viendrait de ce que l'admirable Raymond Carver (*Tais-toi je t'en prie, Les Vitamines du bonheur*) a eu trop d'épigones. Or Carver lui-même est un artiste de la suggestion et de l'ellipse. Ses émules, Ann Beattie ou Jayne Anne Phillips, quelles que soient leurs propres qualités, n'ont décidément rien en commun avec lui ; pas plus que Frederick Barthelme avec son vrai minimaliste de frère (Donald Barthelme, décédé en 1989). Enfin, il serait indécent que l'art impressionnant d'un maître (Carver) cautionne la réputation d'écrivaillons à la mode dont une certaine critique, soulagée de n'avoir plus à passer des heures à méditer les raisons de la grandeur de Gaddis, Coover, McElroy, Gass, DeLillo ou Pynchon, se réjouit de pouvoir fêter l'arrivée.

Bref, les jeux de miroirs ont de nouveau changé. Toute une tendance contemporaine de la fiction, la plus représentative sans doute des années 1980, s'attache aux reflets des surfaces. Ses meilleurs représentants n'en reviennent pas pour autant à une ère d'avant le soupçon, tant le « réalisme » supposé de leur technique est infléchi par la vague d'expérimentation qui les a précédés.

La fiction, aux États-Unis, vient de vivre l'une de ses périodes les plus fécondes ; ce n'est pas dire que cette période est achevée. Tous les auteurs importants des trois dernières décennies, si variée soit leur manière, continuent de produire, même si les disparitions de Bernard Malamud, de John Gardner, de

Raymond Carver, de Stanley Elkin, de John Hawkes, de William
Gaddis et de Donald Barthelme ont tour à tour mutilé leurs courants respectifs ; et il est permis de penser que les œuvres annon-
cées de Pynchon, Gass, ainsi que le surgissement de Steven
Millhauser continueront de se détacher sur le fond de productions plus représentatives de la décennie qui s'ouvre. Un foisonnement d'œuvres nouvelles, créées par de jeunes écrivains
(Mary Caponegro, Patricia Eakins, Mark Leyner, Curtis White,
Brian Evenson, Diane Williams…), laisse augurer de belles
moissons futures. Leur qualité dominante ne correspondra sans
doute en rien aux caractéristiques criardes des écrivains sans
grande importance (Jay McInerney, Tama Janowitz, Kathy
Acker…) qui ont profité de la fin d'une décennie pour tenter *in
extremis* de la représenter. Le siècle nouveau n'attend plus véritablement ses voix ; mais il ne sait pas encore les écouter.

Perspectives des littératures ethniques

MICHEL FABRE

Depuis les années 1960, la théorie pluraliste prédomine dans
l'image culturelle que les États-Unis projettent d'eux-mêmes.
Elle l'emporte sur un mythe qui, dès 1908, donna son titre à un
drame d'Isaac Zangwill – le *melting pot*, ce creuset dans lequel
les marques d'origine des immigrants devaient s'atténuer et se
fondre. Jusqu'à l'instauration d'un nouveau paradigme multi-
ethnique, une super-identité s'offrait comme solution à l'anarchie ethnique pour produire l'*homo americanus*, caractérisé
comme l'incarnation de l'excellence anglo-saxonne. L'exigence
de pureté de cette dernière proclamait du même coup la supériorité de l'expression littéraire du « courant principal » sur les
productions marquées par une altérité tenue pour moins civili-
sée.

Cette littérature inspirée par la tradition anglo-saxonne
domine toujours la scène, à la fois quantitativement et en tant
que norme. Pourtant, comme signe d'une identité américaine
liée au devenir historique, l'ethnicité est devenue un facteur central de l'écriture aux États-Unis. L'écrivain n'est pas minoritaire
ou ethnique (Noir, Juif, *Chicano* ou même WASP) par hasard

mais par choix ; il considère en même temps que cette qualité lui donne le privilège de parler comme représentant d'un groupe et aussi d'incarner la condition de l'homme moderne.

L'ethnicité comme atout

De désavantage, l'ethnicité est donc devenue un atout, voire un préalable pour l'accès à l'identité américaine. Qu'il y ait ou non dessein de recouvrir les oppositions de classe par les cliva ges ethnoculturels, cette redéfinition de la situation implique un redécoupage (qui rencontre maintes résistances) du canon de la littérature américaine, et une visibilité accrue, dans les médias, l'édition et les universités, de ce qu'il est convenu d'appeler les littératures ethniques. Parmi celles-ci, on peut distinguer les littératures des minorités – afro-américaine, indienne autochtone, hispanique (qui regroupe *Chicanos*, Cubains-Américains, Portoricains et autres hispanophones) –, celles des diverses communautés asiatiques, et celles des nombreux Américains d'origine européenne, dont les Irlando-Américains ou les Italo-Américains, qui ont échappé depuis longtemps à leur statut minoritaire.

Chacune de ces littératures a élaboré sa généalogie et ses traditions, son canon, sa propre encyclopédie de sujets et de thèmes. Qu'il s'agisse du yiddish, de l'espagnol ou du parler noir, par exemple, elle a généralement sa composante linguistique. Pourtant, la caractéristique la plus remarquable de ces littératures n'est peut-être pas la spécificité de chacune, mais l'expérience transculturelle que partagent divers groupes et qui fait d'elles des avatars de la littérature américaine – certes influencées par la commercialisation et la mode, mais aussi en réponse aux problèmes du moment. Plus que tout autre groupe, les Juifs et les Afro-Américains ont incarné la promotion de l'ethnicité à une représentativité nationale : d'abord avec l'« âge du roman juif », qui va de *The Assistant/Le Commis* de Bernard Malamud (1957) à l'attribution du prix Nobel à Saul Bellow ; puis avec l'ère du *Black Power*, qui débute avec *Invisible Man/L'Homme invisible* de Ralph Ellison (1952) et semble culminer avec le prix Pulitzer décerné pour *Beloved* (1988) à Toni Morrison. Car il faut abandonner l'idée que l'on peut pertinemment séparer les œuvres du courant principal des textes ethniques : le signe de l'ethnicité est partout présent, et l'écriture ethnique est écriture américaine. Elle n'existe pas en dehors du contexte politique et culturel qui la structure, ce qui signifie qu'être américain et être ethnique en Amérique procèdent d'un seul et même cadre, même si chaque groupe a son territoire privilégié.

Être ethnique, être américain

Doit-on mettre l'accent sur Juif ou sur Américain ? sur Indien ou sur Américain ? La littérature nous apprend que l'expression de l'intégration américaine est aussi complexe qu'ancienne. Depuis le roman *The Uprooted* (Les déracinés), 1953, d'Oscar Handlin, l'immigration, loin de passer pour une réalité marginale, apparaît comme le cœur même de l'expérience historique américaine puisque, à la différence de la plupart des autres nations, le peuple américain n'a pas ses racines ethniques dans le pays qu'il habite. Comme le note Anthony Smith dans *La Renaissance ethnique*, non seulement il est impossible de parler d'une culture nationale unique, mais la notion même d'État-nation comme concept d'unité culturelle est illégitime aux États-Unis. On ne saurait identifier un facteur ethnique, établir des taxinomies (race, liens du sang, religion, langue, coutumes, régionalisme, expérience politique, etc.) sans conclure aussitôt que les frontières de l'ethnicité sont floues.

La critique littéraire joue parfois le jeu assez académique de la pureté ethnique pour séparer ce qui est ethnique de ce qui ne le serait pas, en présupposant que des signes ethniques authentiques circulent dans les littératures des diverses minorités. On érige ainsi une catégorie absolue qui conduit à établir un ensemble de contenus comme norme esthétique, alors que le texte ethnique peut être ordonné par des programmes narratologiques aussi divers que le roman policier, pastoral ou prolétarien ou encore l'utopie. Ce qui différencie ces littératures de celle du « courant principal », c'est seulement qu'elles véhiculent des signes ethniques avec plus d'intensité ou de fréquence.

Les inventaires des littératures ethniques aux États-Unis sont utiles mais ils réifient ce qui est processus, regard interprétatif du sujet déterminé par l'espace ethnosymbolique du monde qu'il habite. C'est un projet situé entre la mémoire et l'imagination qui fleurit, à un stade second, dans toutes ces littératures.

On assiste par exemple à un retour à la topographie de la Virginie rurale dans *Song of Solomon/La Chanson de Salomon* (1977), de Toni Morrison. Un tel exercice généalogique et poétique de la récupération n'a rien d'une quête nostalgique ; c'est bien plutôt une reprise mnémotechnique qui transforme en ethnique le signe qui ne l'était pas. Les noms propres se mettent à porter témoignage. Une utilisation stratégique de la mémoire, un questionnement topologique et généalogique de la culture originelle des ancêtres immigrants produisent une sémiotique ethnique. Dans ces littératures, un système de l'ethnicité peut se révéler nécessaire mais il ne suffit pas, car toute tentative pour construire un paradigme à partir de l'ethnicité finit par enfermer celle-ci dans un ghetto littéraire.

Les signes

D'importants corpus, voire des canons de diverses littératures ethniques ont été constitués. Ils participent souvent du même modèle : identification des caractéristiques linguistiques du groupe, qu'il s'agisse de calques de l'espagnol ou de « dialecte » noir ; célébration des traditions expressives et des coutumes communautaires, tel l'emploi du masque et du parler oblique (*signifying*) chez les Noirs, tel le mélange de piété et de machisme *chicano* qui fleurit dans *Bless Me Ultima* (1971), le roman « classique » de Rudolfo Anaya. L'écrivain privilégie le récit autobiographique, comme *Down These Mean Streets* (1967) du Portoricain Piri Thomas, ou *the Woman Warrior* (1977) de la Sino-Américaine Maxine Wong Kingston (prix Pulitzer 1977). Il met volontiers en relief les coutumes du groupe, comme l'Indien N. Scott-Momaday dans *House Made of Dawn* (prix Pulitzer 1969). Si le détail ethnographique relève du désir d'être mieux connu, et reconnu, l'accent autobiographique procède d'un souci de témoignage et d'authentification qui renvoie aux récits d'esclaves fugitifs ou aux biographies exemplaires d'immigrants européens, mais aussi d'une prise de parole qui est désir d'assumer son destin. Cette intention éclate, par exemple, dans *Flight to Canada* (1976) d'Ishmael Reed et *Oxherding Tale/Le Conte du bouvier* (1982), de Charles Johnson.

Depuis le début du XXe siècle, avec *The Autobiography of An Ex-Coloured Man* (1912) de James Weldon Johnson et *The Rise of David Levinsky* (1917) d'Abraham Cahan, par exemple, et même plus tard, avec *Fifth Chinese Daughter* (1945) de Snow Wong, il est remarquable que le cheminement de la marginalité ethnique à la citoyenneté ait suivi le trajet qui mène « des haillons aux richesses ». Le mythe du *self-made man* doublait naguère celui de l'américanisation réussie. Dans les œuvres contemporaines, le succès matériel devient plus compatible avec l'identité ethnique, même si leur relation reste souvent ambiguë, comme chez le héros de *Portnoy's Complaint/Portnoy et son complexe* (1969), de Philip Roth. En même temps, la valeur de l'intégration à l'*American way of life* se trouve sans cesse remise en question, entre autres par Philippins Lawson Inada ou Sam Tagatac, par des Américains d'origine japonaise comme Isaye Yamamoto, Toshio Mori (dans les nouvelles de *The Chauvinist*, 1979) ou John Okada, dont *No-No Boy* (1967) faisait le procès des camps d'internement des *nisei* pendant la Seconde Guerre mondiale. Souvent, à l'instar de William Melvin Kelley, Sonia Sanchez ou Ishmael Reed, les écrivains noirs opposent systématiquement une manière d'être créative et débridée, pleine de chaleur et de *soul*, à l'individualisme anglo-saxon, hypocrite, intellectualiste et coincé.

La fiction ethnique populaire repose presque exclusivement sur des scènes et des types reconnus comme tels ; elle se contente de revivifier un ensemble traditionnel de thèmes, de sujets (nourriture, folklore, maximes, etc.) et de situations ethniques. On rencontre ainsi chez plusieurs Italo-Américains le motif du jardin d'épices comme signe d'ethnicité, depuis le roman de Jo Pagano, *Golden Wedding* (1943) jusqu'à l'autobiographie de Joe Vergara, *Love and Pasta* (1968). Ou bien, chez le romancier juif, ce sont les fêtes religieuses et les difficultés d'une initiation sexuelle dans un monde de *goyim*, tout autant que les marques de l'appartenance au « peuple du Livre », qui sont signes ethniques.

L'avant-garde sans amarres

Cette littérature populaire se contente d'une reproduction culturelle davantage qu'elle ne met le sens ethnique au diapason des besoins contemporains. On assiste à un discours répétitif, ou commémoratif. Dans la fiction d'avant-garde, en revanche, le signe ethnique reste imprévisible parce qu'il remet son propre statut en question en s'aventurant hors des paramètres établis par les efforts fondateurs des ancêtres. On constate que la littérature ethnique se définit mal dans le contexte post-moderniste, où le continent finit par n'être plus que l'extension des échanges métropolitains, où le signe ethnique se trouve donc privé de territoire, et où le concept d'identité comme donnée naturelle et unité biographique perd sa validité. Cela apparaît à la lecture de fictions afro-américaines d'avant-garde comme *Mumbo Jumbo* (1972) d'Ishmael Reed et plus encore *Reflex and Bone Structure/Réflexe et Ossature* (1975) de Clarence Major. Le moi y est effet de surface, résultat d'un jeu sérieux dans le domaine du langage. À la différence des protagonistes de *The Colour Purple/La Couleur pourpre* d'Alice Walker (1982), on ne saurait prédire l'activité de ce sujet à partir de ses comportements ethniques. Il n'est plus codifiable parce qu'une surabondance de signes dérègle le principe de non-contradiction qui fonde la typologie des caractères de l'allégorie américaine. Comme naguère le cow-boy juif de John Cournos, ce personnage devient, selon le titre de l'autobiographie de Jerry Mangione, *An Ethnic at Large* (1978), un Américain ethnique sans amarres. À la différence du héros picaresque juif de naguère, tel Augie March de Saul Bellow (*The Adventures of Augie March*), le sujet ethnique d'aujourd'hui peut alors retomber dans l'anonymat ou bien se trouver englouti par la culture du courant principal. Il subsiste seulement dans une continuité qui n'est pas celle de l'ethnicité, mais celle d'un questionnement radical de l'expérience américaine (et globale) contemporaine, une manière de penser différemment en pensant la différence.

(Rédaction : 1990)

La création cinématographique,
loin d'Hollywood

MICHEL CIMENT

Le repli frileux de l'Amérique sur elle-même sous la présidence de Ronald Reagn (1980-1988) s'est accompagné du désintérêt du public aussi bien que de la critique pour le cinéma étranger. Ce nouveau provincialisme n'a guère favorisé les créateurs qui ont essayé de sortir des sentiers battus ; les plus novateurs sont, pour la plupart, des marginaux par rapport à Los Angeles : John Boorman, Stephen Frears (tous deux sont britanniques mais travaillent parfois aux États-Unis), Terry Gilliam, Stanley Kubrick (qui résident à Londres), Martin Scorsese, Woody Allen, Spike Lee, Jim Jarmusch, Jerry Schatzberg (new-yorkais), David Cronenberg (canadien).

Les années 1980 ont été difficiles pour les cinéastes originaux qui avaient déjà fait leurs preuves comme Robert Altman, Freancis Coppola, Bob Rafelson, Terence Malick ou Michael Cimino, et la disparition d'un John Cassavetes à la fin de la décennie, après avoir tourné seulement deux films dignes de lui (*Gloria, Torrents d'amour*), a presque eu valeur de symbole.

Scorsese, Woody Allen...

Il serait toutefois injuste d'assombrir par trop le paysage. Outre des réalisateurs qui, tout en s'adressant à un large public, ont signé des œuvres remarquables tels Sydney Pollack (*Tootsie, Ouf of Africa*), Milos Forman (*Ragtime, Amadeus*) ou Clint Eastwood (*Pale Rider, Bird*), deux amateurs et non des moindres, Martin Scorsese et Woody Allen, ont réussi à maintenir leur indépendance et à créer des films d'un haut niveau de réussite.

Le premier, avec des œuvres comme *Raging Bull* (1980) élu meilleur film de la décennie par un groupe de critiques américains, ou *The Last Temptation of Christ/La Dernière Tentation du Christ* (1988) – pour n'en citer que deux –, a poursuivi sa quête d'un style et d'une vision où se mêlent la violence, l'humour noir et une fièvre existentielle.

Le second a signé dix films (de *Stardust Memories* en 1980 à *Crimes and Misdemeanours/Crimes et délits* en 1989) réalisés avec une totale liberté grâce à un public acquis de par le monde. Mia Farrow a remplacé Diane Keaton comme égérie mais Allen, tout en restant fidèle à ses thèmes et à son univers, passant de la comédie au drame ou les mêlant, s'est éloigné de plus en plus des sketches brillants de ses débuts pour aborder l'autobiographie, la peinture des intermittences du cœur, la réflexion sur les images du passé cinématographique. Les deux se sont retrouvés dans *New York Stories* (1988), film à sketches où s'exprimaient totalement leurs personnalités, tandis que Coppola pâlissait à leurs côtés avec une histoire plus conventionnelle où se confirmait le ralentissement de son inspiration.

Une génération sans illusion

Parmi les cinéastes qui se sont confirmés dans la décennie, le plus connu en Europe est sans doute Jim Jarmusch tant par ses rapports privilégiés avec Wim Wenders que pour son inspirations ouvertement tournée vers le Vieux Continent. Ses films minimalistes (*Permanent Vacation, Stranger than Paradise, Down by Law, Mystery Train*) révèlent à la fois son goût de l'errance et des individus légèrement décalés par rapport à la société, un humour pince-sans-rire et une certaine distance qui touche au dandysme. À l'opposé, l'univers d'un Spike Lee est nourri par les différences raciales : son ironie corrosive, son ton pamphlétaire trouvent leur apogée dans *Do the Right Thing*, constat d'échec du *melting pot*.

L'insolence, l'humour, l'esprit ludique se retrouvent, selon des modes différents, chez les frères Joel et Ethan Coen (*Blood Simple/Sang pour Sang, Arizon Jr*), chez Jonathan Demme (*Something Wild/Dangereuse sous tous rapports, Married to the Mob/Veuve mais pas trop*) et chez Barry Levinson (*Good morning Wietnam, Rain Man*). Ce sont décidément la dérision, l'esprit subversif, la satire sociale – signes d'un vide de valeurs, d'une génération sans illusion – qui caractérisent cette nouvelle génération comme en témoignent encore les œuvres de Tim Burton (*Beetlejuice, Batman*), David Mamet (*House of Games/Engrenages, Things Change/Parrain d'un jour*) et de Steven Soderbergh dont *Sex, Lies and Videotape/Sexe, mensonges et vidéo* se veut ouvertement un retour au cinéma d'auteur tel qu'il florissait dans les années 1970.

Avec la mort de Hathaway, George Cukor, John Huston, Orson Welles, Alfred Hitchcock, Vicente Minnelli, Joseph Losey, Otto Preminger, Robert Aldrich, le silence de Billy Wilder, de Francis Mankiewicz et d'Elia Kazan, les années 1980 semblent avoir signifié un adieu définitif à l'âge d'or de Hollywood dont Blake Edwards a été le seul à perpétuer l'élégance et le style raffiné avec une fécondité égale à celle d'un Woody Allen (dix films en dix ans dont *Victor Victoria, Skin Deep/L'amour est une grande aventure*). Mais la jeune génération, qui recherche, par des voies différentes, la même liberté de ton que ce maître de la comédie, prépare peut-être un renouveau du cinéma américain, enfermé trop longtemps dans des formules rentables mais à la longue stérilisantes.

(Rédaction : 1990)

Le théâtre, voies multiples

GENEVIÈVE FABRE

Ère du défi, des innovations fulgurantes, de la pluralité, les années 1970 et 1980 suscitent chez l'amateur de théâtre une multitude d'interrogations. La profusion des expériences menées, l'enchevêtrement des voies suivies peuvent rendre perplexes ceux qui aimeraient dresser des bilans, entrevoir un devenir. D'emblée on est frappé par les contradictions : entre le respect voué à des traditions définies comme américaines et le désir de remise en question, d'ouverture à d'autres cultures ; entre les impératifs du succès et ceux d'une création qui veut s'affranchir des modes et des lois d'une société mercantile ; entre la conquête de Broadway et la révolte contre la scène légitime.

Les différentes crises que traverse le théâtre américain d'aujourd'hui – désaffection du public au profit notamment de la télévision, arrêt des subventions, absence de dramaturges qui puissent rivaliser avec les grands noms du passé, disparition des grandes compagnies et fermeture des salles – n'ont pourtant pas entamé l'énergie créatrice. Mais celle-ci est désormais plus souvent l'initiative de quelques individus que le fait d'un effort collectif. Les expériences exaltantes de naguère ont fait place à des activités moins concertées et plus isolées. Et si le théâtre se montre toujours soucieux d'orchestrer les grands bouleversements de la société, ses préoccupations premières ont changé et, avec elles, le regard qu'il porte sur le monde : c'est ce regard lui-même, plus que la société, qui est devenu son objet. Dépolitisé, le théâtre s'intéresse aux modes d'être, à la perception, à l'intelligibilité du réel. Explorant la sensibilité post-moderne, l'art théâtral s'applique à la construire et à la déconstruire minutieusement. Composite, éclectique et expérimental, il jette les ponts entre d'autres arts et s'ouvre aux technologies nouvelles. Pour ses nouveaux praticiens, la recherche dans l'intimité des ateliers semble avoir pris le pas sur le désir de créer un répertoire, de fonder des compagnies et des écoles et de définir la « présence du comédien ».

Broadway et les autres

Qu'on ne s'y méprenne pas cependant : l'empire de Broadway, le monopole de New York restent inébranlés. Divertissement, grand spectacle remportent toujours le même succès ; la revue et la comédie musicale font toujours fureur. Broadway tantôt s'enlise dans un répertoire sans surprise, tantôt révèle des talents insoupçonnés.

Le théâtre d'auteurs n'est pas, lui non plus, moribond. Dans les pièces de David Mamet, Israel Horowitz ou Sam Shepard, le texte reste souverain, parodique, incisif, spirituel. D'autres dramaturges recherchent une écriture plus expérimentale, attentive au travail de l'acteur (Joe Chaikin, Megan Terry et Jean-Claude Van Itallie) ; d'autres enfin créent un « théâtre d'images », plus apte à traduire les mouvements de la sensibilité. Le langage dramatique s'est diversifié, le répertoire s'est enrichi de traditions puisées à l'extérieur des États-Unis (plus en Orient désormais qu'en Europe) mais aussi à l'intérieur de la nation.

On a assisté, dans les années 1960, à une multiplication des communautés théâtrales fondées sur des affinités ethniques et raciales. Un mouvement inverse s'est ébauché depuis, visant à une intégration artistique de toutes ces expériences reconnues comme fondamentalement américaines. Aux voix des minorités ethniques se sont ajoutées celles des femmes, des homosexuels, des prisonniers. Pour tous ces groupes, le théâtre fut d'abord une arme de combat, un instrument de réflexion sur leur condition, leur histoire et leur mémoire dans la quête d'une identité et d'une légitimité qui leur avaient été longtemps refusées.

Ces théâtres « parallèles » ont enrichi la dramaturgie d'une rhétorique, d'une syntaxe et d'une symbolique différentes (rituels du théâtre noir – Le Roi Jones, Ed Bullins, Richard Wesley, Adrienne Kennedy, Ntozage Shange – et amérindien, *Actos y Mitos* du Theatro Campesino, etc.). Si, malgré le soutien de compagnies comme La Mama ou le Public Theater de Joe Papp, malgré le travail considérable des créateurs et animateurs dans l'ensemble du pays, et l'apparition de nouveaux auteurs (comme le dramaturge afro-américain August Wilson), l'avenir de ces théâtres ethniques semble menacé, la scène américaine doit désormais compter avec la puissance de toutes ces voix.

Par ailleurs, certaines expériences théâtrales se sont effacées. Longtemps exilé, le Living Theater a tenté un timide retour à New York. La San Francisco Mime Troupe et le Bread and Puppet continuent certes à produire des spectacles ; mais nombreuses sont les compagnies des années 1970 qui ont cessé toute activité.

Le retour au laboratoire

L'heure n'est plus au travail communautaire, à la ferveur évangélique ou révolutionnaire, aux provocations de ceux qui voulaient changer le monde en transformant les pratiques théâtrales. Les rêves n'ont pas été totalement abandonnés, mais le rôle du théâtre dans la cité est à réinventer. Aux amples projets des dernières décennies se sont substituées des expériences moins spectaculaires mais tout aussi ambitieuses, en quête de nouveaux rites et mythologies. Après avoir investi les rues, les parcs, les églises, le théâtre est revenu au laboratoire.

Loin d'abandonner les techniques de leurs prédécesseurs, les artistes les réorientent. Eric Bass et Julie Taymor travaillent le masque, Rachel Rosenthal, les « transformations » dans le jeu de l'acteur. D'autres explorent les liens entre langage caché et manifeste, entre musique, son et parole. Les voies de la création théâtrale se multiplient : orchestration des effets visuels et sonores, langage du corps, combinaison d'images émergeant de gestes ou de rythmes, de mots ou d'objets ; travail sur les « actions vocales », la communication, les paysages, le récit et sa décomposition, la dépersonnalisation des rôles, la désincarnation verbale ou physique. Les opéras épiques et les cantates de Meredith Monk, de Robert Ashley, les techniques vocales de Julia Heyward et de Laurie Anderson ou de Spalding Gray, les lamentations rituelles d'Andrei Serban, les excentricités méthodiques et équivoques de Richard Foreman ou les images rythmées et énigmatiques de Robert Wilson, les « animations » mytho-poétiques de Lee Breuer ou d'Alain Finnerman sont tout cela.

Créer un art total

Tous procèdent d'un même projet : créer un théâtre d'images, offrir des expériences moins psychologiques que perceptuelles, inventer des signes, des iconographies qui permettent de mieux déchiffrer la société actuelle et le fait américain. Ce projet s'accomplit à travers plusieurs démarches. Ou bien le théâtre s'approprie des formes populaires de divertissement – cabaret, mime ou marionnettes, opéra, bande dessinée et science-fiction – pour en redécouvrir les potentialités ou en démonter les mécanismes. Ou il fait appel aux autres arts pour susciter des croisements d'expérimentations. Ainsi se concrétise peut-être le rêve ancien de créer un art total. Certaines réalisations des années 1980 ont été dues à une admirable association d'artistes : musiciens (John Cage, Phil Grass, Elizabeth Swados, Robert Dunn), chorégraphes (Merce Cunningham, Lucinda Childs, Trisha Brown, Yvonne Rainer), sculpteurs (Alan Vega). Ou, enfin, le théâtre essaie d'explorer systématiquement – mais sur le mode de l'humour, la dérision ou la parodie – les ressources de la technologie moderne, pour la démythifier.

Gadgets les plus galvaudés ou techniques les plus élaborées, outils corrompus ou exaltants de notre société, ces icônes médiatrices et mobilisatrices envahissent la scène. L'engouement pour tous ces procédés n'est pas gratuit. Les images évoquées mettent en scène une société atomisée, en désintégration ; mais elles suscitent aussi une nouvelle intelligence du monde grâce à une activité verbale, visuelle, auditive régénérée. Ce théâtre veut ébranler, choquer, surprendre et en cela instruire.

De ces agencements de matériaux disparates, de ces collages et improvisations, de la matérialité du spectacle naît une poétique du discontinu, de la distorsion et de la brisure – expression d'une mythologie collective. Convaincus que le théâtre est magie, ces alchimistes de la scène dissèquent le fonctionnement d'une société livrée aux excès de l'information, de la communication ; ils font le procès de nos façons d'être, de sentir, de penser. Mais du chaos qu'ils présentent émerge une manière nouvelle de saisir le monde.

Parions que cet éclatement, ce brassage des genres, ces multiplications de techniques permettront de mieux repenser nos modes d'appréhension du réel. Par des voies imprévues et audacieuses, les expériences poursuivies nous ramènent simultanément à un certain constat sur notre civilisation et à une réflexion fondamentale sur l'essence même de l'acte théâtral dans ses affinités avec les autres arts et dans son irréductible singularité.

(Rédaction: 1990).

La comédie musicale, une création américaine

Sim Copans

Pour certains, comme Cecil Smith, auteur de la première histoire sérieuse de la comédie musicale américaine, cette dernière est une version américanisée du théâtre musical européen – opérette, opéra bouffe, opéra-comique –, qui se caractérise par l'excellente technique, le rythme, la précision chorale, l'influence du jazz, et dont la fonction première est de divertir. Pour d'autres, la comédie musicale est un « important héritage culturel » (Miles Kreuger, fondateur de l'Institut de la comédie musicale), « du théâtre pur avec la spontanéité de la poésie » (Brooks Atkinson du *New York Times*). Quant à la critique universitaire, elle la passe pratiquement sous silence.

Pourtant, depuis près de soixante-dix ans, la comédie musicale reste le genre théâtral favori des Américains qui y trouvent le reflet de leurs propres états d'âme et de leurs intérêts. Une étude indique qu'à New York deux tiers des personnes qui vont au théâtre assistent à une comédie musicale. Certaines pièces ont tenu l'affiche de nombreuses années : *My Fair Lady* (Frederick Loewe, Alan J. Lerner, 1956), *Forty-Second Street* (1980), sept ans ; *Hello Dolly* (Jerry Herman, 1964), huit ans ; *A Chorus Line* (Marvin Hamlisch, 1975), quinze ans.

La comédie musicale a beaucoup évolué pendant sa courte histoire. La première date importante fut le succès en 1927 de *Show Boat* de Jerome Kern. Inspirée par un roman d'Edna Ferber, son intrigue bien construite rompait avec le canevas typique de la plupart des comédies musicales qui était en général un prétexte pour introduire des chansons, des numéros de danse, des éléments comiques. Outre Jerome Kern, une pléiade de grands compositeurs a longtemps enchanté le public et leurs chansons font partie de l'héritage musical américain : *Old Man River, Smoke gets in your eyes* (Jerome Kern), *Always, Cheek to Cheek* (Irving Berlin), *The Man I Love*, S'*Wonderful* (George Gershwin), *Love for Sale, I get a Kick out of You* (Cole Porter), *Oh What a Beautiful Morning, The Lady is a Tramp* (Richard Rodgers). En 1932, une satire des élections présidentielles américaines, *Of Thee I Sing*, signée George et Ira Gershwin, gagna le prix Pullitzer pour la meilleure pièce musicale.

Le triomphe d'*Oklahoma* de Richard Rodgers et Oscar Hammerstein II en 1943 marqua le second tournant significatif qui contribua à faire disparaître les intrigues prétextes. De plus en plus, la comédie musicale emprunta des thèmes au roman ou au théâtre. Leonard Bernstein adapta librement *Roméo et Juliette* qui devint *West Side Story* (1957), une histoire contemporaine des gangs de New York. En 1968, *Cabaret*, qui évoquait les débuts du nazisme à Berlin, introduisait le tragique dans la comédie musicale.

La génération de 1968 créa *Hair*, une comédie musicale « rock » qui connut un succès international mais n'eut pas de suite. Parmi les grands succès des années 1960 et 1970, *Promises, Promises* (Burt Bucharach, Hal David, 1968) évoquait les déboires de l'honnêteté ; *Company* (Stephen Sondheim, 1970) dénonçait l'esprit tortueux des chefs d'entreprise ; *Applause* (Charles Strouse, Lee Adams, 1970) soulevait les problèmes du mariage en milieu urbain alors que *A Chorus Line* (Marvin Hamlisch, 1975) recréait le monde cruel du théâtre vu de l'intérieur.

Les années 1980 ont été plutôt sombres pour les créations américaines, et de nombreuses pièces dont le budget dépassait cinq millions de dollars n'ont tenu les planches qu'une semaine. Cette décennie a été marquée, en revanche, par l'« invasion britannique », les plus grands triomphes ayant été créés à Londres : *Evita* (1979), *Cats* (1982), *Starlight Express* (1987), *Phantom of the Opera* (1988) de l'Anglais Andrew Lloyd Webber, et les *Misérables* (1987) de Claude-Michel Schonberg et Alain Boublil sont des pièces à grand spectacle et aux budgets astronomiques.

Pendant un demi-siècle, la comédie américaine a été une des formes artistiques les plus authentiquement américaines. Abandonnant assez tôt l'opérette, trop européenne, elle a absorbé rapidement la nouveauté des rythmes américains. Toute l'Amérique semble s'y reconnaître. *Life Magazine* avait sans doute raison, dans son numéro spécial de 1975 consacré au bicentenaire de la *Déclaration d'indépendance*, d'inclure *Oklahoma* parmi les cent événements qui ont formé l'Amérique.

(Rédaction : 1990)

L'invention de la danse moderne

MARCELLE MICHEL

On ne peut parler, à propos des États-Unis, d'une tradition en matière de danse classique. Quelques artistes européens de renom, comme l'Allemande Fanny Essler, y furent accueillis en tournée dans la seconde moitié du XIXᵉ siècle et des chorégraphes de l'ancienne troupe des Ballets russes de Diaghilev s'installèrent à New York dans les années 1920. En revanche, c'est aux États-Unis que s'est épanouie, au début des années 1940, la danse moderne, danse de l'homme contemporain. Elle est partie de zéro, de la respiration, de la marche ; elle a redécouvert le corps, l'a replacé dans un contexte naturel, elle est retournée aux sources.

La *modern dance* est le fait de trois femmes qui avaient en commun la conscience d'appartenir à une nation en devenir et à une catégorie sociale brimée par le puritanisme anglo-saxon. Toutes trois ont vécu en Californie et en ont été marquées. Isadora Duncan, née en 1878, invente une danse libre, spontanée, inspirée des mouvements de la nature et de l'Antiquité grecque. Danseuse aux pieds nus, elle porte sa révolution en Europe, bastion de l'académisme, ouvre une école à Moscou en 1921 et meurt en 1927 étranglée accidentellement par son écharpe dans une voiture conduite par Bugatti.

Ruth Saint Denis, sa contemporaine, issue d'un milieu libéral, trouve son inspiration dans l'Orient. Associée à un philosophe, Ted Shawn, elle ouvre une école où vont s'élaborer les principes du mouvement tels qu'ils furent décrits en 1850 par l'esthéticien français François Delsarte, méconnu de ses compatriotes, dans son ouvrage intitulé *Sémiotique de l'expression des sentiments par le geste.*

Martha Graham, formée à leur école, élabore à partir de 1926 une danse nouvelle, appuyée sur une technique originale (le principe de contraction-détente) qui lui permet de mettre en ballet des tragédies grecques réactualisées en partant de l'introspection freudienne (*Clytemnestre, Cave of the Heart, Night Journey*…). Martha Graham a formé de nombreux disciples comme Paul Taylor, Robert Cohen, Alvin Ailey (le père de la *modern dance* noire) et Merce Cunningham, la figure la plus importante de la création américaine des années 1970 et 1980.

En réaction contre la théâtralité – jugée excessive et démodée – du ballet grahamien, Cunningham met au point avec le musicien John Cage une technique qui va permettre à la danse d'échapper aux lois de la perspective et de casser la vision frontale. Si l'on admet que tous les points de l'espace scénique sont également intéressants, on peut travailler comme un peintre moderne qui couvre toute sa toile. Le geste devient abstrait. Le danseur ne représente plus que lui-même ; le spectateur, privé de repères, doit réapprendre à regarder la danse.

Un autre chorégraphe, Nikolais, a dépersonnalisé le danseur en utilisant la lumière. Une de ses disciples, Carolyn Carlson, installée en France depuis 1968, a contribué à la diffusion des techniques nouvelles parmi les danseurs européens en rupture de classique.

Dans les années 1970 (années de contestation intellectuelle dans le monde entier) la *modern dance* subit les attaques d'Yvonne Rainer. Avec de jeunes chorégraphes regroupés dans le mouvement de la Judson Church, elle radicalise l'abstraction cunninghamienne et lance la *post-modern dance* qui prend différentes formes (danse-contact de Steve Paxton, géométrie spatiale de Trisha Brown, danse répétitive et minimale de Lucinda Childs). Tous ces chorégraphes ont été fortement influencés par le théâtre de Bob Wilson. Quant à William Forsythe, né à New York en 1949, il se réfère au structuraliste français Roland Barthes pour substituer un univers déconstruit au monde organisé du ballet.

Le ballet classique américain

Parvenue au degré zéro, la danse américaine commence à revenir peu à peu à la théâtralité et à la virtuosité. En témoignent Twyla Tharp qui utilise le jazz, ou Karole Armitage, adepte de la mode *punk*. On a assisté, à partir de 1985, à un retour aux techniques classiques conçues comme une façon d'élargir l'exploration du mouvement.

En effet, le ballet classique – ou plutôt néoclassique – s'est fortement développé aux États-Unis vers 1940, tout en se distinguant de la production européenne. Il s'est incarné dans deux grandes compagnies, l'American Ballet et le New York City Ballet.

Fondé en 1939 par Lucia Chase, l'American Ballet a longtemps été sous influence du chorégraphe anglais Antony Tudor (mort en 1985) qui a créé des œuvres comme *Pillar of Fire* dont le sujet, comme chez Martha Graham, est la frustration et la libido. Agnes DeMille a produit des ballets inspirés du folklore américain. C'est dans cette même compagnie que s'est révélé Jerome Robbins, l'auteur de *West Side Story*. De 1985 à 1989, le ballet a été dirigé par Mikhaïl Baryshnikov, transfuge du Kirov, et il a connu depuis une crise d'identité.

Le nom du New York City Ballet est associé à celui de George Balanchine, chorégraphe révélé par Diaghilev, installé aux États-Unis en 1935, et qui a créé un ballet typiquement américain où la danse académique, confrontée aux rythmes du jazz et de la comédie musicale, tourne à l'abstraction tout en restant attachée aux codes.

Pour les nombreuses compagnies de ballet existant à travers le pays, le problème est de trouver des œuvres contemporaines qui alimentent leur répertoire. Après la mort de Balanchine en 1983 et celle de Robbins en 1998, il a fallu faire appel à des chorégraphes « modernes ». Deux d'entre eux ont réussi cette synthèse : Marc Morris et William Forsythe qui ont ouvert ce qu'on appelle l'après-Balanchine.

Les années Reagan ont porté un coup à l'essor de la danse américaine, obligeant les artistes à faire des tournées ou à vivre en Europe et en Asie pour subsister. Ainsi, Morris a pris la succession de Maurice Béjart à la Monnaie de Bruxelles tandis que Forsythe dirigeait le Ballet de Francfort. Le public américain ne les en a pas moins plébiscités comme les chorégraphes de la relève.

Vers une fusion des genres

À l'aube du XXIe siècle, la danse classique et la danse moderne se rejoignent, fusionnent dans une nouvelle forme artistique. Celle-ci tend à exprimer les interrogations, les désirs d'une culture en état de mondialisation ; elle ne peut échapper à l'appel des nouvelles technologies. Là encore, c'est Cunningham qui se lance dans l'inconnu : « Je pense à la danse comme à une constante transformation de la vie même », déclare-t-il. En 2003, à quatre-vingt-quatre ans, il a créé *Split Sides*, incursion dans l'infini de l'espace, en s'aidant du logiciel informatique *LifeForms*. Mêlant réel et virtuel, ce travail remet en question les limites du corps dansant.

Le métissage des musiques

DENIS-CONSTANT MARTIN

Y a-t-il une musique américaine ? Peut-on distinguer des caractères qui signaleraient la nature indiscutablement américaine de certaines musiques ? D'une part, il existe des genres musicaux apparus aux États-Unis : musiques aborigènes des Amérindiens ; musiques métisses nées de la rencontre de communautés aux origines diverses. De l'autre, les courants de la création moderne, quelles que soient les filiations académiques auxquelles ils se rattachent, sont fréquemment colorés par des emprunts aux formes populaires et par une attitude originale à l'égard du temps et du son.

Ainsi, les musiques des États-Unis paraissent placées au croisement de deux tensions : entre le mélange des répertoires d'emprunt et l'affirmation d'une identité américaine, et entre la tentation de l'enracinement dans les traditions et l'aventure en quête de l'inouï.

Inextricablement liées à la vie sociale et religieuse, aussi nombreuses que les groupes dont elles animaient les rites et les cérémonies, les musiques des Amérindiens ont sombré avec le quasi-génocide dont les hommes furent victimes. Elles survivent dans les réserves et fusionnent lors de larges *powwow*, qui proposent parfois une manière de modernité pantribale. Dans des spectacles « folkloriques » plus ou moins bien conçus et au cinéma, elles sont souvent réduites pour l'imagerie populaire à des timbres vocaux étranges et un martèlement rythmique obsédant alors que leur richesse va bien au-delà.

Si les Noirs fugitifs réfugiés dans des villages indiens en ont sans doute retenu des éléments musicaux, les plus « américains » des compositeurs issus des écoles européennes, comme Aaron Copland, semblent n'y avoir guère prêté attention.

Les traditions canoniques

Les premières manifestations musicales des colons en Amérique du Nord étaient essentiellement religieuses. Elles prolongeaient la musique paroissiale anglaise et le style des grands compositeurs du XVIIᵉ siècle commençant. Mais la musique était aussi présente dans les salons tout comme dans les tavernes où l'on chantait et dansait. La musique académique et l'oralité populaire se sont développées à partir de ces deux sources.

Les deux premiers musiciens à avoir composé sur le sol américain illustrent cette double origine : le Philadelphien Francis Hopkinson (1737-1791) laissa des mélodies accompagnées au clavecin ; William Billings (1746-1800), auteur de psaumes et d'hymnes originaux, fut sans doute le premier à combiner simplicité, ferveur et modernité pour faire chanter l'américanité. Mais ce sont surtout avec les évangélistes Dwight Moody (1837-1899) et Ira Sankey, que l'hymne américaine connut ses développements les plus populaires. Puisant aux fonds profanes, ils réduisirent la musique à sa plus simple expression pour en faire le véhicule d'une émotivité religieuse exacerbée par les *camp meetings*.

Dans le domaine de la musique profane savante, le conformisme européen a longtemps prévalu et la musique américaine s'est nourrie des vagues d'immigration successives. Des compositeurs comme James Hewitt (1770-1827), Micah Hawkins et surtout William Fry (1813-1864), avec *Leonora*, s'essayaient à l'opéra tandis que la musique instrumentale prospérait : sociétés musicales et orchestres se multipliaient, avec des musiciens et des chefs souvent venus d'Europe centrale. Cependant, les œuvres de cette époque n'avaient encore rien de particulièrement américain ; le poids du Vieux Monde s'est fait sentir jusque dans ce XXe siècle, même si certains créateurs comme Walter Piston, Roger Sessions, Aaron Copland, Elliot Carter ou Samuel Barber ont développé un style personnel. Nombre de créateurs se sont d'ailleurs épanouis sous la férule de la pédagogue française Nadia Boulanger (1887-1979).

Pourtant, l'Amérique s'est affirmée aussi parallèlement à la fascination européenne. Marginaux d'abord, des compositeurs ont choisi une aventure à la recherche de nouveautés universelles et sont, de ce fait, authentiquement américains. Charles Ives (1874-1954) fut leur père : il tenta la polytonalité, les quarts de ton, les œuvres pour plusieurs orchestres, s'inspira des fanfares de village pour inventer une musique bricolée, visionnaire et passionnante. Carl Ruggles (1876-1971) lui fit écho avec des œuvres pleines de chocs. Henry Cowell (1874-1954) découvrit des techniques telles que les *clusters* (agrégats d'accords tonalement indéterminés) et le piano préparé, s'intéressa aux musiques orientales et aux sons électroniques. À bien des égards, il apparaît comme un précurseur de John Cage pour qui la musique, construite par l'écoute, est un moyen d'interroger l'univers et la vie. Moins connu, Milton Babbitt recherche, dans la musique électroacoustique, un « sérialisme total ».

L'oralité populaire

À partir de la pratique religieuse, des danses et des chansons populaires, dans le mélange des origines et des races, d'autres musiques sont nées sur le sol américain et ont conquis le monde entier. Alors que le corps et l'oreille réalisent l'intégration et suscitent l'inédit dès qu'il y a rencontre entre groupes différents, l'organisation sociale incite à classer, plus ou moins pertinemment, les musiques cousines.

Chez les Blancs, le chant évangélique populaire (*gospel*), dont l'archétype fut établi par Sankey et Moody, perdure encore, surtout dans le Sud et les Églises hétérodoxes. Le *country and western* lui reste intimement lié mais y a intégré la tradition de la ballade anglo-irlandaise, en même temps qu'il empruntait leur rythme aux musiques noires. Volontiers moralisatrice, tantôt nostalgique tantôt enlevée, cette musique est celle de l'Amérique « profonde ». La chanson *cow-boy* en est un des genres familiers, le *bluegrass* est sa version la plus rythmée dont les avatars modernes sont souvent créatifs. Le *rock* est né de la fusion de cet art des *hillbillies* (les ploucs des collines) et du *rhythm and blues* noir : Elvis Presley (1935-1977) a été le symbole de ces retrouvailles ; par la suite, le rock américain a subi l'influence des groupes anglais mais aussi de la musique académique américaine, Frank Zappa étant sans doute le perturbateur le plus inventif de la génération des années 1960 et 1970. Abreuvé aux mêmes sources que le *country and western*, ce que l'on a appelé le *folk* en constitue un dérivé poétique et, parfois, progressiste. Woody Guthrie (1912-1967) a été le chantre des laissés-pour-compte de la dépression ; les Almanac Singers se sont faits les porte-parole du syndicalisme de gauche, alors que Joan Baez et, surtout, Bob Dylan ont chanté sur des mélopées simples des textes à la fois émouvants et de haute qualité littéraire.

L'enrichissement mutuel des formes dites « noires » et des formes dites « blanches » n'a jamais cessé depuis le temps de l'esclavage, où des témoins s'étonnaient de l'étrange manière dont chantaient les descendants des Africains. Les *spirituals* anonymes, aux polyphonies rugueuses, furent policés à l'occidentale par des chorales universitaires noires après l'émancipation, mais les congrégations rustiques conservèrent les formes anciennes jusqu'à ce que, fertilisées par la musique profane, les deux traditions se retrouvent pour produire le *gospel* dans les années 1930, genre qui a continué de se moderniser jusqu'aujourd'hui.

Miles Davis, un symbole

À coups d'amplis tonitruants, arpentant de long en large la scène sans égards apparents pour le public, Miles Davis (1926-1991) a inventé une musique construite autour du silence. Tout au long de sa vie, il a persisté à être surprenant, créateur de sons, de couleurs, de rythmes dont l'agencement lui a valu de toucher bien au-delà du public des amateurs de jazz, sans jamais avoir rompu avec l'essence de la musique afro-américaine. Dans les années 1980, c'est au rock qu'il a « tordu le cou » pour en faire une immense machine à recomposer le temps dans le déferlement sonore ; dans les années 1960, il a montré le parti qu'on pouvait tirer de la *pop music* et des instruments électriques ; à la fin des années 1950 il avait contribué à faire éclater les cadres classiques de l'improvisation en utilisant la modalité que John Coltrane, révélé dans son orchestre, devait pousser à sa logique ultime ; dix ans plus tôt, il avait dirigé un ensemble inhabituel qui renouvelait radicalement la palette sonore du jazz (sessions d'enregistrement dites *Capitol*) ; et, après s'être nourri des trompettistes *swing*, il a avait débuté, à dix-neuf ans, aux côtés de Charlie Parker et des *boppers* iconoclastes.

Miles Davis est né dans une famille aisée de l'Illinois ; il a traversé le jazz la tête dans les nuages : ses yeux ont scruté des horizons dont les images se sont imprimées dans son art. C'est à ce titre qu'il restera l'un des symboles les plus complets de la musique américaine.

D.-C. M.

Chants, danses et contes formaient la matière des *minstrel shows* que jouaient des Blancs à la face noircie et même, plus tard, des Noirs : la comédie musicale était déjà en germe dans cet échange.

Mais la chanson profane noire, modelée par la ballade anglo-irlandaise, fut dotée à la fin du XIXe siècle d'une nouvelle forme : le *blues*. Sur un mode doux-amer, il dit le mal à vivre de l'individu appartenant à une communauté opprimée. Après la Seconde Guerre mondiale, le *rhythm and blues* intègre des éléments du jazz *swing* ; au début des années 1960, la *soul music* renoue avec le *gospel*, abandonne la forme *blues* et affirme la fierté noire. Depuis, rock noir et *black disco* reprennent certains tours du rock pour s'adresser aux publics noir et blanc. Le rap, enfin, qui s'enracine dans l'animation des prêches protestants, se nourrit des jeux d'insulte (tels les *dirty dozens*) et ne renie pas le bagout des DJs jamaïcains, marque un retour à la primauté de la parole, scandée, triturée pour mieux clamer : la révolte mais aussi le machisme, la violence et un appétit démesuré de consommations artificielles. Ce grand parler de l'Amérique contemporaine est un art de partage où Noirs, Blancs et Hispaniques se côtoient sur des thématiques profanes et quelquefois religieuses.

La force du jazz

C'est dans le jazz que s'exprime avec toute sa forme la créativité afro-américaine. Né dans les deux premières décennies du XXe siècle, il a fusionné plusieurs genres musicaux et régionaux : le *blues* du Sud, la musique pour cuivres des fêtes néo-orléanaises, les *ragtimes* du Middle West écrits par des Noirs imprégnés du romantisme centre-européen, la musique symphonique des compositeurs noirs du Nord-Est... Le jazz a imposé l'expressionnisme vocal dans le jeu instrumental, inventé la dialectique de l'écriture et de l'improvisation sur des harmonies dont la succession est déterminée par le profil mélodique du thème, concilié la tonalité européenne et le sentiment contramétrique africain ; il a engendré le *swing* (balancement rythmique) et les *blue notes* qui superposent majeur et mineur, innovations que l'on retrouve dans toutes les musiques populaires modernes (rock, pop, disco, etc.). S'il a touché d'emblée à la perfection avec les œuvres de Duke Ellington (1899-1974) au début des années 1930, les musiciens ne se sont jamais satisfaits de l'acquis : travail de l'improvisation, de Louis Armstrong (1900-1971) à Miles Davis et Ornette Coleman ; recherches d'écritures de Fletcher Henderson (1898-1952) à Gil Evans (1912-1988) et Richard Abrams ; enrichissement et remise en cause des structures harmoniques avec les *boppers* (Charles Parker, 1920-1955 ; Thelonius Monk, 1917-1982) puis les iconoclastes du *free jazz* (Ornette Coleman ; Albert Ayler, 1936-1970) ; introduction des techniques modales et fascination pour l'Orient (John Coltrane, 1926-1967) ; certains musiciens phares ont intégré dans leurs expérimentations formelles toutes les découvertes et les interrogations de leur époque, y compris celles venues de l'extérieur des musiques afro-américaines : Duke Ellington, Charles Mingus (1922-1970), Cecil Taylor.

Musiques croisées

Les musiques afro-américaines ont tracé leur histoire dans un dialogue avec d'autres musiques, notamment celles qui relevaient des traditions académiques européennes. Les musiques « classiques », en revanche, ne se sont guère imprégnées des créations « noires », sauf dans les œuvres de l'insatiable Leonard Bernstein (1918-1990), superbe chef et compositeur embrassant tous les genres. Quant aux musiques populaires, elles sont toutes profondément multicolores. Or ce sont elles, avec les musiques noires, qui ont suscité le plus d'intérêt en dehors des États-Unis. S'il y a une « américanité » en musique, elle résulte de la confrontation, de l'échange, de la fusion innovatrice. Dans ce métissage, on peut reconnaître trois lignées qui s'entremêlent et que l'on a trop souvent tendance à sous-estimer.

Une tradition de compositeurs blancs qui ont tiré leur inspiration des formes populaires, noires en particulier : Louis Moreau Gottschalk (1829-1869), créole de La Nouvelle-Orléans, pianiste virtuose, compositeur de pièces où l'habileté de l'écriture n'oblitère pas le rythme et les couleurs venus de Louisiane et des Caraïbes ; George Gerschwin (1898-1937), fils d'émigré, pianiste démonstrateur de partitions, avide de toutes les musiques et qui a produit l'un des chefs-d'œuvre du brassage américain et de la musique du xxᵉ siècle, *Porgy and Bess* (1935).

Une deuxième lignée est formée par des compositeurs afro-américains dont l'ambition fut de faire œuvre universelle en utilisant les formes et les moyens occidentaux. Ainsi, Scott Joplin (1868-1917) conçut des pièces pour piano et pour petit orchestre qualifiées de *ragtimes*, qui mettaient dans des structures d'origine européenne la quintessence du sentiment musical noir ; il a fallu plus de cinquante ans pour que son opéra *Treemonisha* (1915) soit correctement représenté et enfin reconnu par la société blanche. Plus proches de l'académisme européen, d'autres compositeurs tentèrent d'imposer des créations « noires » dans la musique « blanche », sans pour autant oublier les « chants spirituels » nés de l'esclavage : Harry Burleigh (1866-1949), disciple de Dvorjak, Robert Nathaniel Dett (1882-1943), élève de Nadia Boulanger, qui composa notamment des motets et des oratorios ; William Dawson,

auteur d'une *Negro Folk Symphony* créée par Leopold
Stokowski (1882-1977) ; William Grant Still (1893-1978) surtout, considéré par certains comme un des plus grands compositeurs américains. Quelques créateurs de jazz ont aussi été fasci-
nés par le modernisme occidental : Duke Ellington comme
Charles Parker rêvaient de travailler avec des formations symphoniques ; aujourd'hui encore, un des musiciens expérimentaux les plus intéressants des États-Unis, Anthony Braxton, est
également un improvisateur.

Une troisième filiation relie les genres populaires des *minstrel shows* aux comédies musicales et aux revues dans lesquelles s'illustrèrent aussi bien des musiciens noirs (Noble Sissle,
1889-1975 ; J. Rosamond Johnson, 1873-1954) que des mélo-
distes blancs (Cole Porter, 1893-1964 ; Irving Berlin, 1888-
1989). Ce genre fut adapté au cinéma parlant et chantant, et
contribua au succès international de la Metro Goldwyn Mayer.

En marge de ces grands courants, deux genres plus récents,
et encore plus mélangés si faire se peut, témoignent, d'un côté,
de la recherche d'exotismes susceptibles de consoler les décep-
tions des années 1960 et 1970, de l'autre, de l'impact de nouvelles vagues d'immigration venues du Sud. Les minimalistes et
répétitifs ont appliqué une esthétique de la simplicité et de l'im-
mobilité fluctuante ; Terry Riley et Philip Glass ont essayé de
combiner le jazz et les influences d'Europe, d'Afrique, et de
l'Orient indien. Steve Reich s'est, au surplus, intéressé à la can-
tilation hébraïque et a construit certaines compositions sur la
parole enregistrée (*Different Trains*, 1988). John Adams a su
donner à ces formes musicales nouvelles une émotion, une
dimension tragique renouvelées (avec les apports du metteur en
scène Peter Sellars et de la cantatrice Dawn Upshaw) qui rendent fascinants l'opéra *Nixon In China* (1987) ou l'oratio *El
Niño* (2000).

La *salsa*, en revanche, a mis sur des rythmes de danse
antillais des arrangements empruntés au jazz pour soutenir des
paroles chantées le plus souvent en espagnol. Certains même,
comme le plus fertile des *salseros*, Eddie Palmieri, ne résistent
pas toujours à la tentation du modernisme occidental. Tradition
et innovation, identité et mélange, la *salsa* vient encore une fois
colorer cette mosaïque musicale américaine dont l'incarnation
pourrait finalement être Conlon Nancarrow, compositeur

éclectique bercé par le jazz, fasciné par Stravinsky, élève de Roger Sessions et Walter Piston, contemporain de John Cage, qui développa un goût pour les complexités contrapuntiques et polyrythmiques que seuls peuvent faire entendre des pianos mécaniques...

Peinture et sculpture, l'art des confins

ROLAND TISSOT

Des conditions d'éclosion peu propices n'ont pas empêché le surgeon artistique américain de se développer avec vigueur depuis l'aube du XVIIIe siècle. Des peintres colporteurs jusqu'aux post-modernes, aucune solution de continuité n'est décelable.

Contrairement au lieu commun qui situe très tardivement leur origine, les arts plastiques ont toujours eu droit de cité en Amérique, fût-ce au prix de difficultés sociales et esthétiques réelles. Le sentiment de dépendance, voire de sujétion intellectuelle fut souvent un frein à la créativité de maints artistes dont les œuvres, soit décriées soit indûment honorées, oscillèrent entre le pastiche inquiet et le rejet provincial des leçons d'Europe.

Ce n'est qu'après la Seconde Guerre mondiale, dans le sillage des aigles victorieuses et grâce à l'appui massif de la politique culturelle, que l'art américain s'est imposé, a acquis avec une confondante rapidité une prééminence internationale, secouant sans coup férir deux siècles de tutelle artistique mal supportée. Ce désir d'émancipation mit plus de temps à s'affirmer dans les arts plastiques qu'en littérature, comme si le problème de la filiation et de l'autonomie trouvait plus difficilement sa solution.

Cette tension fut particulièrement sensible à certains moments, lorsque l'histoire imposa ses choix dirimants : ainsi, lorsque les Colonies déclarèrent leur indépendance, alors qu'un Benjamin West était honoré à Londres, John S. Copley était tiraillé par des allégeances contraires et Washington Allston se proclamait l'enfant de parents divorcés. Il devint figure emblématique de l'identité impossible. L'Amérique, inversement, pouvait aussi représenter un avenir de commissions rondelettes

pour nombre de professionnels en provenance du Vieux Monde,
tels Thomas Cole ou Joseph Blackburn.

Les traces du rêve américain

Reste le nœud gordien d'une spécificité artistique sans cesse
remise en cause. Celle-ci se manifeste tout au long de l'histoire
républicaine, soit par la quête souvent vaine d'un idiome américain, soit par un comportement singulier des artistes. Cette
vacillation politico-esthétique a toutes les caractéristiques d'un
conflit œdipal à l'échelle d'une nation.

Au XIXe siècle, cependant, les affres de l'inquiétude seront
compensées par les certitudes conquérantes de la nation. La
geste des pionniers, la découverte de paysages incomparables
font éclore un genre héroïque et monumental, illustratif de l'é-
popée continentale et garant des riches promesses de la
conquête. Edwin Church, Albert Bierdstadt en sont les rhapso-
des. D'ailleurs, avec les luministes du fleuve Hudson, les pay-
sagistes atteignent un point de perfection. Chez John Kensett,
Asher B. Durand, Martin Heade, la beauté intrinsèque du pays
renvoyant à la source divine, l'œuvre d'art s'engendre de
manière homologue à une nature achevée et sublime. Ainsi l'i-
déalisme contemplatif et l'effusion lyrique s'articulent-ils sans
faille à l'idéologie d'un monde renouvelé. Sans conteste, ces
tableaux célèbres participent intimement à l'un des mythes fondateurs du pays, qui a laissé ses traces rêveuses.

L'évolution rapide et brutale de la société après la fracture de
la Sécession se répercute à la fois sur le statut des artistes et sur
la perception qu'ils ont de leur environnement. Adulés ou haïs,
les peintres de l'Âge doré satisfont les besoins esthétiques fru-
gaux de tous les bénéficiaires du pactole industriel. Ils choisissent alors, tels James Whistler ou John Sargent, l'exil cosmopo-
lite des pèlerins passionnés. En revanche, sur le sol natal, le
réalisme puissant de Winslow Homer et de Thomas Eakins per-
pétue, suivant leur génie propre, une tradition vivace de défiance
envers les attraits de l'imagination. Dans leur mouvance, mais
aussi afin de se démarquer de l'académisme ambiant, d'autres
artistes ont leurs yeux dessillés par les scories du fameux rêve
américain. L'école de la Poubelle peint crûment les images de
l'industrialisation forcenée et les ravages du capitalisme débridé.

La révolution moderniste

Au tournant du siècle s'opère une césure profonde dans la problématique toujours recommencée de l'identité et de l'aliénation. Mais, cette fois, le combat se mène pour la révolution moderniste contre les scléroses du provincialisme. L'iconoclasme parisien exposé à l'Arsenal de New York en 1913 fait l'objet de controverses passionnées, puisque le code même de la perception qu'on avait du Nouveau Monde est remis en cause. Les champions du formalisme (autour d'Alfred Stieglitz et de sa Galerie 291) incluront tous les greffons de l'impressionnisme et du cubisme (comme Childe Hassam, John Marin, Charles Demuth). C'est alors que l'expérimentation formelle devient un des fleurons de la spécificité américaine avant de devenir sa principale raison d'être. Stanton McDonald Wright, Man Ray et le sculpteur Alexander Calder font partie de l'avantgarde.

Après 1929, les années de la Dépression apportent un démenti flagrant au messianisme et au mercantilisme. Tandis que certains prônent les vertus passéistes d'un retour à la scène américaine (tel Grant Wood, exaltant les sujets qui font référence à un passé pastoral), d'autres, suivant les injonctions d'un véritable mécénat d'État qui sauve maints artistes de la famine, innovent et, au prix d'empoignades politico-théoriques avec les exilés qui ont fui le nazisme, fertilisent le terreau sur lequel va bientôt croître, dans les années 1940, la célèbre école de New York.

L'hégémonie économique des États-Unis déplace, dès 1945, le centre de gravité de l'art moderne. Devenue lieu d'exil et de refuge, soutenue par un patrimoine muséographique patiemment archivé, la cité est un bouillon de culture. Secondée par une cohorte de critiques influents, de galeries richissimes et de politiques avisés, New York impose planétairement l'expressionnisme abstrait. La célébrité internationale donne à l'artiste américain le sentiment grisant, après tant d'errements et de doutes, de s'être définitivement affranchi. C'est lui l'artiste du *Twentycento*, comme Jackson Pollock ou Willem De Kooning. Quant à l'*action painting*, elle s'affirme comme une invention américaine. Une société consumériste avide des retombées prestigieuses de l'art reprend à son compte tous les stéréotypes de l'artiste maudit, de l'ingratitude sociale et de la reconnaissance obligée. De plus, les angoisses sourdes de la Guerre froide, le désarroi propre à l'ère atomique trouvent là matière à se symboliser dans le geste solitaire et forcené des expressionnistes. Chaque toile monumentale devient une métaphore épistémologique, dans la mesure où elle semble être la réponse de l'imagination lyrique à la vision du monde répandue par la science, tout autant que la trace indicielle d'une identité américaine fantasmée.

De la même façon, la sculpture va être vécue comme un acte performatif ou comme une expérience existentielle informant ou forgeant le matériau. On a pu parler, avec Theodore Roszack, Ibram Lassaw ou David Smith, de renaissance sculpturale, car chaque artiste élabore un idiome américain misant sur l'expérimentation incessante, le spontané, l'accidentel, mais avec la stridence propre à l'art romantique de ce pays.

L'engouement pour l'expérimentation formelle, pour ce qu'on a appelé la « tradition du nouveau », marque les années 1960 et 1970. Le mot « avant-garde » devient le sésame du marchand au musée. Des pionniers successifs, sur fond de mythologie patriotique, épuisent, dans la prolifération successive des styles (*op'art, conceptual art, minimal, hard edge, earth art, body art*, hyperréalisme et retour au figuratif), les conquêtes formelles du début du XXe siècle.

Ces révolutions picturales de palais, outre qu'elles témoignent de la vitalité artistique du pays et de son ardeur innovatrice, profitent aussi de l'extravagante expansion du marché, fondée sur une collusion entre galeries, musées et universités, marchands-entrepreneurs et artisans-machines à la Andy Warhol, tout cela dans un climat affairiste de surconsommation médiatique.

Fidèle à elle-même, l'Amérique pratique sans relâche un art des confins, oscillant entre l'appropriation directe du réel (Chuck Close, Don Eddy), le fétichisme des objets (Claes Oldenburg), le piétinement dans les impasses de la peinture en digne fille de Marcel Duchamp (Jasper Johns, Robert Rauschenberg), dans la continuelle jouissance du franchissement de la limite (Vito Acconci, Judy Chicago), au point où la rupture authentifie jusqu'aux simulacres. De sorte que l'artiste américain, désormais voué au culte vedettarial, moins en raison de la qualité de ses investigations intellectuelles patientes (on songe à la quête esthétique passée d'un Edward Hopper) que de sa connotation socio-culturelle, est devenu, sous les feux de la rampe, célèbre d'être célèbre, trop tôt étiqueté et assimilé dans une internationale de l'avant-gardisme.

L'Amérique sécrétant un art qui ne recherche pas d'instinct l'harmonie, mais les situations sans issues favorables et leurs résolutions violentes, tend à pousser l'innovation jusqu'à son terme logique.

Photographie, entre le musée et l'image

FRANÇOIS BRUNET

« Chacun pourra s'en servir », avaient annoncé les promoteurs français du daguerréotype. C'est aux États-Unis que s'est réalisée cette promesse démocratique et industrielle. Avec le Kodak (1888), muni d'un film que la firme de George Eastman se chargeait de développer (« Press the button, we do the rest »), une pratique longtemps « ésotérique » était ouverte aux amateurs. Au début du XXIᵉ siècle, avec le taux d'équipement des ménages le plus élevé du monde, et une firme (Eastman Kodak) dominant encore le marché mondial des produits et ayant bien négocié le virage du numérique, les États-Unis demeurent le premier producteur photographique du monde. S'il est malaisé de cerner le foisonnement de la création américaine, c'est qu'il est inséparable de l'ubiquité du fait photographique dans la société, et de la « civilisation de l'image » inaugurée par la photographie et décuplée par Internet et le multimédia. De plus, les techniques nouvelles ayant relayé la photo dans ses fonctions « sérieuses », l'art photographique, entré au musée, a pris un visage plus académique.

L'entrée au musée

Dès 1937, le Museum of Modern Art (MOMA) avait présenté une rétrospective appelée à faire date. L'inspiration moderniste de *Photography : 1839-1937*, où les primitifs côtoyaient les applications scientifiques les plus neuves, doit moins à la photographie « pure » d'Alfred Stieglitz et Edward Weston, volontiers élitiste et mystique, qu'à l'esprit *Fotokunst* de Moholy-Nagy, qui fondait la même année le New Bauhaus à

Chicago. Le MOMA passait provisoirement à côté de ce qui aura été le projet du XXᵉ siècle : Walker Evans et un groupe de photographes « documentaristes », à l'époque du New Deal, sillonnaient le *Dust Bowl* (ces territoires de l'Oklahoma et de l'Arkansas stérilisés par la sécheresse et le vent) pour la Farm Security Administration, illustrant en trois cent mille clichés les effets d'une dépression dont la *Migrant Mother* de Dorothea Lange est restée l'emblème. Mais la muséographie de la photographie était née. Et le *boom* muséographique ne s'est pas démenti depuis 1960 : d'abord le MOMA avec John Szarkowski, conservateur influent dont les expositions ont consacré des tendances (comme la « photographie de rue » avec *New Documents* en 1967 : Diane Arbus, Lee Friedlander, Gary Winogrand) ; dans de nombreuses institutions spécialisées comme l'International Center of Photography de New York ; enfin dans tous les grands musées, dont, depuis 1984, le Getty Museum, qui, en dépensant vingt millions de dollars, s'est placé d'emblée au premier plan.

Cette ruée vers un art désormais connu du grand public a pu bénéficier de moments de flottement sur le marché de la peinture. Mais ni les opérations spéculatives très médiatisées ni les redécouvertes plus durables n'ont profondément modifié un marché de l'art pour lequel la photographie reste un investissement précaire. (Autrement significatives, d'ailleurs, sont les tentatives de mainmise sur le marché de la diffusion des images faites par quelques très gros opérateurs – Getty, Corbis.) Or, dans le même temps, l'idée que la photographie constituait un domaine significatif de la culture avait été reconnue par des intellectuels (Susan Sontag), dans la grande presse, et surtout à l'Université. Créée en 1963, la Society for Photographic Education comptait en 1986 mille six cents membres, qui enseignaient la photographie et l'histoire de la photographie, discipline présente à Princeton depuis 1972, à quelque trente mille étudiants.

De nombreux photographes « créatifs » étaient désormais professeurs, et écrivaient des livres.

Cette mutation est intervenue alors que la télévision relayait la photographie dans la production des images fortes de l'actualité. Le grand reportage, tradition prestigieuse (de Mathew Brady à Cornell Capa), n'a pas disparu : le magazine *Life* a commencé une seconde carrière après 1980, et les années 1990 ont même vu un renouveau du reportage de guerre. Mais à l'heure d'Internet, du DVD et de l'image numérique, la photographie s'est confondue, aux yeux du public, avec la notion diffuse d'« image ». C'est sans doute en raison de cette évolution, commencée avec la télévision dans les années 1950, que la recherche photographique s'est souvent portée sur la forme (comme avec Minor White et sa revue *Aperture*), sur les qualités physiques du support, densité, tonalité, puis, comme en peinture, relief, enfin sur la couleur. Plus que le témoignage d'Eugene Smith sur l'empoisonnement des pêcheurs de Minamata (1972), les jeux de couleurs étudiés par Joel Meyerowitz sur les vérandas des résidences de Cape Cod illustrent la sensibilité qui a conquis le nouveau public de la photographie vers 1980.

La fin du militantisme

Certes, les photographes du « paysage social » ont rendu compte des crises des années 1960 à 1980. Mais, en partie parce qu'ils s'adressaient désormais à une « communauté photographique » blasée sur l'objectivité de l'image, ils n'ont guère ému l'opinion publique. Bien plus troublants que les Américains de Robert Frank, dont la banalité avait choqué en 1959, ceux de Diane Arbus, Lew Thomas, Larry Clark, Richard Avedon (nains, marginaux, drogués, pervers ou simplement pauvres) ont souvent paru plus autobiographiques que scandaleux. Si un sursaut puritain a empêché en 1989 l'exposition des nus masculins de Robert Mapplethorpe, le succès auprès des élites des monstres baroques de Joel Peter Witkin est de ce point de vue assez étonnant. Plus éduquée, moins aventurière que par le passé, la photographie de l'après-1960 semble aussi avoir renoncé à persuader. Explorateurs des « non-sites » du Midwest, les « nouveaux topographes », sans renier le souci de la nature propre à Ansel Adams, le défenseur des sierras, ne se sont pas reconnus dans ses paysages grandioses, et n'attendent plus de leur art qu'il serve à les préserver. Ce que la photographie recèle de militantisme est passé plutôt par l'écrit (Alan Sekula), voire l'historiographie (Michael Lesy, Alan Trachtenberg).

Dans le même temps, la photographie créative s'est fondue dans toutes sortes de pratiques multimédias (narration, collage, photosculpture, *land art*, installations) dont elle est tantôt l'auxiliaire documentaire, tantôt la « matrice conceptuelle » (Rosalind Krauss). Mais cette formidable intégration de la photographie américaine dans l'art contemporain et la culture « légitime » n'a pas éliminé ses fonctions plus traditionnelles de mémoire et d'art populaire. Et, tandis que les historiens explorent toujours plus précisément la contribution décisive de la photographie à l'« image de soi » de l'Amérique, tout le courant créatif post-moderne (Cindy Sherman, Sherrie Levine) a montré que la photo la plus « ordinaire » pouvait être un instrument de réflexion décapant sur les prestiges de l'image.

Architecture, bien plus que des gratte-ciel

HÉLÈNE TROCMÉ

Il est fréquent d'entendre dire que les Américains n'ont pas d'architecture, que leurs constructions sont fonctionnelles mais monotones et de mauvais goût et que leur histoire est trop courte pour retenir l'attention. Quant aux réalisations contemporaines, elles sont plutôt internationales qu'américaines... Voilà qui fait peu de cas de tout ce qui a été bâti depuis près de quatre siècles dans le Nouveau Monde !

On peut en effet esquisser le portrait d'une architecture « américaine » qui repose sur trois caractères fondamentaux : la diversité des traditions ethniques et régionales ; l'esprit pragmatique et inventif des bâtisseurs ; et enfin, une certaine fascination pour les styles historiques, en particulier pour le classicisme.

Des traditions vivaces

Il suffit de traverser le pays pour découvrir, sous le manteau monotone de l'architecture utilitaire et commerciale, des traces nombreuses d'influences anglaises, hollandaises, espagnoles, françaises, scandinaves, japonaises et autres. Loin d'être uniquement des survivances du passé colonial ou de l'ère de l'immigration de masse, ces apports se sont métamorphosés en véritables traditions américaines. Ainsi, la maison de Nouvelle-Angleterre, avec sa lourde charpente habillée de bardeaux et sa cheminée centrale, a donné un nouvel essor à un type d'habitation en voie de disparition dans une Angleterre où le bois manquait. La cabane de rondins n'est pas, comme on l'a dit parfois, une imitation de l'architecture primitive des tribus indiennes de l'Est : les colons scandinaves l'ont apportée des forêts de l'Europe septentrionale, et elle est ensuite devenue le symbole même de la rude vie du pionnier sur la Frontière. Le porche, qui fait partie intégrante de la maison et de la vie familiale américaines, trouve son origine dans la tradition africaine, relayée par la culture créole des Caraïbes. C'est pourquoi on le rencontre d'abord dans le Sud, devant les belles demeures de Louisiane, avant de le retrouver au XXᵉ siècle dans les quartiers résidentiels modestes ou luxueux, meublé de *rocking chairs* et de barbecues.

L'empreinte espagnole est sans nul doute la plus importante et la plus vivante. De la Floride à la Californie, elle affecte une immense partie du territoire américain : villes ordonnées autour d'une *plaza*, églises de Missions, maisons aux frais patios évoquent plusieurs siècles de domination coloniale. Mais il y a plus : périodiquement, comme en Floride vers 1920, un regain d'intérêt pour la tradition espagnole donne naissance à une architecture domestique tout à fait particulière. Au Nouveau-Mexique, l'influence espagnole s'est combinée à celle des Pueblos, les seuls Indiens d'Amérique du Nord qui avaient créé une architecture urbaine avant l'arrivée des Européens : à Taos, à Santa Fe, les édifices modernes prennent la couleur ocre et les formes douces des constructions anciennes de bois et adobe. Il y a bien ici une architecture authentiquement américaine.

Pragmatisme et inventivité

Puisant ainsi aux sources les plus diverses, les bâtisseurs américains ont en outre fait preuve d'un esprit inventif et pragmatique en adaptant formes, matériaux et techniques aux besoins du Nouveau Monde. Ainsi, la traditionnelle charpente à tenons et mortaises a cédé la place, à partir de 1830, à une armature légère, formée de pièces de bois précoupées et assemblées à l'aide de clous. Cette charpente-ballon, particulièrement bien adaptée à la construction des maisons de l'Ouest, est un premier pas vers la préfabrication, trait fondamental de l'architecture contemporaine. En effet, le pragmatisme américain s'illustre à merveille dans l'évolution de la maison familiale, symbole de l'individualisme démocratique : chaque type d'habitation, du *cottage* traditionnel au *bungalow* moderne, privilégie dans sa disposition intérieure tout ce qui rend la vie plus simple et plus confortable. Le maître dans l'art de créer des maisons spacieuses et bien intégrées dans leur cadre naturel est Frank Lloyd Wright dont la *Prairie House* a influencé toute l'architecture domestique du XXᵉ siècle. L'inventivité et l'audace technique des architectes américains culminent cependant avec la conception d'un nouveau type de construction : le gratte-ciel, né à la fin du XIXᵉ siècle d'une convergence de progrès techniques (mise au point de l'ascenseur et de l'ossature métallique) et de besoins économiques (concentration financière au cœur des villes). Le théoricien et le chantre de cette nouvelle architecture américaine fut Louis Sullivan, mais on aurait tort de passer sous silence la longue maturation qui a conduit aux réalisations de la fameuse école de Chicago et, en définitive, à une véritable révolution de l'architecture urbaine aux États-Unis d'abord, et partout dans le monde aujourd'hui.

Comment comprendre alors que ce peuple, toujours prêt à innover, soit en même temps fasciné par les styles historiques ? Est-ce le besoin de se trouver des racines culturelles ? Est-ce une sorte de frénésie de nouveaux riches voulant prouver qu'ils peuvent faire aussi bien, sinon mieux, que leurs modèles ? La réponse varie selon l'architecte et la période envisagés. Mais de toute façon, il s'agit rarement de simples pastiches. Ainsi, le succès du classicisme s'explique sans doute par son adéquation à l'idéal démocratique et républicain : Thomas Jefferson établit le premier la supériorité des modèles romains (le Capitole de Richmond et l'université de Virginie sont des adaptation américaines très réussies de la Maison carrée de Nîmes et du Panthéon de Rome). Après lui, plusieurs « renaissances » eurent lieu : l'âge néogrec construisit de ravissantes demeures et de nobles édifices publics dans la première moitié du XIXᵉ siècle. Au début du XXᵉ, le style Beaux-Arts et l'urbanisme classique donnèrent aux grandes villes leur centre monumental. La fascination pour le style classique n'est nulle part mieux affirmée qu'à Washington, la capitale fédérale, conçue en 1792 par le Français Pierre-Charles L'Enfant, et embellie cent ans plus tard par Daniel Burnham. De nouveau, à la fin du XXᵉ siècle, on voit renaître ce goût pour le décor classique dans les œuvres post-modernes d'un

Michael Graves ou d'un Kevin Roche. Il s'agit bien d'une tendance profonde de l'architecture du Nouveau Monde.

L'humanisme post-moderne

Pourtant, on a pu croire, de 1930 à 1970 environ, qu'inspiration historique et architecture moderne étaient inconciliables. Le modernisme (ou style « international »), importé d'Europe par Mies van der Rohe, Walter Gropius et d'autres, domine complètement cette période. Après la guerre, le pays se couvre d'immeubles de bureaux, d'écoles, de centres commerciaux et de maisons individuelles d'un style fonctionnel et dépouillé où le verre, l'acier et le béton règnent en maîtres. Mais l'Amérique s'est lassée de cette architecture si pure et trop abstraite. Elle a voulu retrouver un langage architectural plus humain et plus populaire.

Après la virulente critique de l'urbanisme moderne faite par Jane Jacobs, le livre de Robert Venturi, *De l'ambiguïté en architecture*, paru en 1966, a ouvert la voie au courant post-moderne, remettant à l'honneur la couleur, le décor, les évocations historiques et l'intégration à l'environnement urbain. Johnson et Burgee, Helmut Jahn, Kevin Roche, dans les gratte-ciel prestigieux construits depuis le milieu des années 1970 à New York, à Chicago, à Houston et ailleurs, ont démontré toutes les possibilités de cette architecture nouvelle. Les années 1970 et 1980 ont aussi vu la construction ou l'agrandissement de très nombreux musées (MOCA de Los Angeles, l'aile est de la National Gallery de Washington, etc.). Dans le domaine de l'habitat et de l'urbanisme, la plus charmante réalisation du post-modernisme est la petite ville résidentielle de Seaside en Floride, avec ses maisons aux couleurs pastel.

Architectes et urbanistes ne s'intéressent pas seulement à la création d'un cadre urbain nouveau, ils s'attachent aussi à préserver et restaurer les constructions anciennes : gares désaffectées (comme Union Station à Washington), docks et hangars portuaires, quartiers résidentiels anciens comme à Baltimore, Miami, San Francisco.

Malgré cet engouement pour le passé, le modernisme n'est pas mort. Il devient même un style que l'on respecte et restaure. Le Financial Center de New York, de Cesar Pelli, illustre la

permanence des principes fondamentaux du modernisme asso-
ciés à l'humanisme post-moderne. Si, dans les années 1960, le
paysage architectural semblait menacé de stérilité, il a retrouvé
une diversité plus conforme à ses origines. Non seulement il y a
une architecture « américaine », mais elle n'a pas fini de nous
étonner ni d'influencer l'architecture mondiale.

(Rédaction : 1990).

Le design américain en perte d'originalité

JOCELYN DE NOBLET

Le *design* en tant que pratique liée à un développement industriel et économique est né aux États-Unis vers 1934. Sa prise en
compte est devenue manifeste dès 1939 à l'occasion de la foire
mondiale de New York. En effet, les principaux exposants et en
particulier General Motors ont fait appel à des *designers* pour la
conception et l'aménagement de leur pavillon.

L'aérodynamisme esthétique (*streamlining*), sous l'influence des industries aéronautiques et automobiles, est devenu
un style qui a duré jusqu'à la fin des années 1950 et s'est étendu
à de nombreux produits. L'essor et le dynamisme de l'économie
américaine se sont traduits, à partir des années 1940, par la production en série d'une grande variété de produits dont la
contemplation a exercé un grand pouvoir de fascination sur une
Europe qui, elle, n'est devenue une société de consommation
que plus tardivement. Le rêve américain est sous-tendu par
l'*American way of life* : un style de vie qui repose en grande partie sur le développement d'une culture matérielle efficace.

Avec le recul, on s'aperçoit que les grandes entreprises américaines productrices de biens de consommation se sont développées à partir d'un marché intérieur presque autosuffisant et
qu'elles se sont préoccupées trop tardivement de l'apparition
d'un marché international ouvert et concurrentiel. Par ailleurs,
et sauf dans quelques cas particuliers, la pratique du design
industriel ne s'est jamais intégrée dans les structures des entreprises américaines mais, le plus souvent, a été utilisée en faisant

appel à des intervenants extérieurs à des fins décoratives et superficielles.

La foire mondiale de 1964 installée à Flushing Meadow, dans la banlieue de New York, n'a plus soulevé le même enthousiasme que celle de 1939 et les innovations formelles y étaient rares. Les voitures de rêve des années 1950 avaient disparu et la Ford Mustang, présentée pour la première fois à cette occasion (ce fut un succès commercial), était déjà une voiture qui relevait plus du fonctionnalisme européen que de la mythologie américaine. En 1959, au cours d'un débat avec Nikita Khrouchtchev, Richard Nixon se demandait s'il n'était pas plus pertinent de parler des mérites de la machine à laver que de la puissance relative des ogives nucléaires. Par là, il vantait la supériorité des biens de consommation américains. Aujourd'hui, ce sont les Japonais et les Allemands qui seraient en mesure de poser la même question aux Américains.

Le design américain appliqué jusqu'à la fin des années 1960 aux objets de grande consommation est souvent considéré comme exotique par les Européens. En effet, le design fonctionnel et les maîtres du Bauhaus comme Mies van der Rohe et plus tard ceux de l'école d'Ulm ont exercé une influence qui est restée cantonnée au domaine de l'architecture et du mobilier. Des designers tels que Eliot Noise chez IBM, Charles Eames et George Nelson chez Hermann Miller (meubles de bureau) avaient une conception beaucoup plus libre et organique de la forme qui ne marquait aucune rupture par rapport au style des années 1950.

Banalisation de la culture matérielle

La relative timidité et le manque d'originalité du design américain des années 1980 ont plusieurs causes. La culture matérielle et populaire américaine (de la bouteille de Coca-Cola à l'automobile en passant par le chewing-gum, Disneyland, le *fast-food* et les illuminations de Las Vegas) ne semble plus capable de renouveler son vocabulaire plastique et se banalise. Elle reste figée parce qu'elle a rempli sa mission : constituer un ensemble fédérateur où des individus issus de cultures très différentes pouvaient se retrouver et consommer en commun. C'était le libéralisme parvenu au stade de l'abondance des marchandises, qui dispersait ses représentations du bonheur, et donc de la réussite, en une infinité d'objets et de gadgets exprimant réellement et illusoirement autant d'appartenances à des strates de la société de consommation. Cette société n'était qu'une réponse à une définition spectaculaire et esthétique des besoins et elle n'a joué de rôle effectif qu'en tant que lieu d'échange économique nécessaire au système. À partir du moment où les Américains ont progressivement atteint une maturité culturelle et que leurs artistes, leurs écrivains et leurs scientifiques ont acquis une reconnaissance internationale incontestable, ils n'ont plus accordé à leur culture matérielle la même importance symbolique et leurs élites s'en sont détournées. Il convient de faire une exception avec les ordinateurs domestiques au design remarquable (iMac de Apple Computer et répertoire électronique Palm de 3COM).

D'autres phénomènes, d'inégale importance ont également joué :

– l'Europe et le Japon ont comblé leur retard et leur position de challengeurs dans un marché ouvert a pris les Américains de court ;

– la conjugaison du choc pétrolier et des difficultés de stationnement en milieu urbain ont rendu les automobiles américaines démodées et impropres à l'exportation ;

– le coût des dépenses d'armement a fragilité l'économie dans un contexte où les transferts de technologie du militaire vers le civil ne sont plus évidents. Ce fait nouveau est particulièrement visible dans l'évolution de l'électronique grand public et de l'audiovisuel.

Si l'influence économique et culturelle de l'Amérique reste grande, elle s'est cependant relativisée et les managers des grandes entreprises n'ont pas compris que, dans une société postindustrielle, les consommateurs étaient devenus plus exigeants et plus sensibles aux qualités de finition et d'esthétique des nouveaux produits. Par ailleurs, la fonction nouvelle du *design management* n'est pas assez prise en compte dans les programmes de formation des futurs cadres.

Il serait cependant prématuré de tirer trop de conclusions de ce constat pessimiste, l'économie américaine ayant conservé une capacité de réaction puissante.

Chronologie

• La découverte de l'Amérique du Nord

– **50000 à – 11000.** Peuplement du continent provenant d'Asie.
– **35000 à – 5000.** Période paléo-indienne, chasse.
– **5000 à – 1000.** Période archaïque, débuts de l'agriculture.
– **1000 à + 1500.** Période formative (Mississippi, Sud-Ouest).
986-1008. Explorations des Vikings (Labrador, Terre-Neuve, etc.).
1492-1495. Le Génois Christophe Colomb découvre les Antilles.
1497-1498. Voyages de John Cabot, pour le roi d'Angleterre.
1507. Le géographe allemand Martin Waldseemüller appelle le nouveau monde *America*.
1534-1541. Le Français Jacques Cartier explore la vallée du Saint-Laurent.
1539-1542. Les Espagnols Hernando de Soto et Francisco de Coronado explorent le Sud-Ouest.
1565. Les Espagnols fondent la colonie San Augustín dans l'actuelle Floride.
1584-1587. Fondation puis abandon de Roanoke en « Virginie ».

• L'époque coloniale (1607-1774)

1607. Fondation de Jamestown en Virginie.
1608. Fondation de Québec par Samuel de Champlain.
1619. Arrivée des premiers esclaves africains à Jamestown.

1620. Fondation de Plymouth par les pèlerins du *Mayflower*.

1630. Migration des puritains au Massachusetts. Boston est fondée.

1634. Fondation du Maryland par Lord Baltimore.

1636. Fondation du Rhode Island et du Connecticut.

1636. Création du collège Harvard près de Boston.

1663. Charte de fondation des Carolines.

1664. New Amsterdam, prise par les Anglais, devient New York.

1675-1676. Guerre contre les Indiens en Nouvelle-Angleterre.

1682. Fondation de la Pennsylvanie. Les Français s'installent en Louisiane.

1692. Procès en sorcellerie à Salem, Massachusetts.

1732. Fondation de la Georgie.

1735-1760. Grand Réveil religieux (Nouvelle-Angleterre et Virginie).

1756-1763. La guerre de Sept Ans entre Anglais et Français met fin à l'Amérique française.

1763. La colonisation est interdite à l'ouest des Appalaches.

1764. La loi sur le sucre marque le premier d'une série de conflits entre les colons et la couronne d'Angleterre.

1765. Droit de timbre : résistance des Fils de la liberté.

1767-1769. Droits Townshend taxant le commerce des colonies d'Amérique. Boycottage de produits anglais.

1770. Massacre de Boston (les soldats britanniques tuent 5 manifestants), abrogation des droits Townshend.

1773. Loi sur le thé favorisant la Compagnie des Indes orientales qui peut vendre en Amérique. Réaction des Bostoniens : *Boston Tea Party*.

1774. Lois « intolérables » contre Boston. Premier congrès continental réunissant les délégués de toutes les colonies sauf la Georgie.

• L'INDÉPENDANCE ET LA CRÉATION D'UNE NATION (1775-1815)

1775 (avril). Premiers affrontements entre l'armée britannique et les milices du Massachusetts à Lexington et Concord.

1775 (juin). George Washington est nommé à la tête de l'armée continentale ; levée des troupes dans les colonies.

1776 (janv.). Thomas Paine publie *Le Sens commun*.

1776 (4 juil.). Le Congrès adopte la *Déclaration d'indépendance*.

1776-1777. Les États rédigent des constitutions.

1778. Traité d'alliance franco-américaine.

1780. Arrivée à Newport (Rhode Island) du corps expéditionnaire français qui vient aider les Américains dans la guerre contre l'Angleterre.

1781. Ratification des articles de la Confédération.

1781 (oct.). Victoire franco-américaine de Yorktown (Virginie).

1783. Traité de Paris et indépendance des États-Unis.

1784-1787. Ordonnances du Congrès sur l'arpentage et le gouvernement des terres de l'Ouest.

1786-1787. Révolte de paysans endettés (Daniel Shays) dans le Massachusetts.

1787. Convention de Philadelphie qui élabore une nouvelle Constitution, adoptée en juin 1788 après avoir été ratifiée par neuf États.

1789. G. Washington, élu à l'unanimité des électeurs présidentiels, devient le premier président des États-Unis.

1791. Le *Bill of Rights* (Déclaration des droits) est ratifié.

1801. Élection de Thomas Jefferson.

1803. Achat de la Louisiane à la France (15 millions de dollars).

1807. Premier bateau à vapeur sur l'Hudson (Robert Fulton).

1807-1808. Embargo sur les marchandises anglaises et françaises.

1812 (juin). Déclaration de guerre à l'Angleterre.

1814. Incendie de Washington (DC) par les Anglais.

1814. Traité de Gand avec l'Angleterre (*statu quo* territorial).

• DÉMOCRATISATION, EXPANSION, ESCLAVAGE ET GUERRE CIVILE (1815-1865)

1815. Victoire du général Andrew Jackson à La Nouvelle-Orléans.

1816-1818. Expédition de A. Jackson en Floride.

1819. L'Espagne cède la Floride aux États-Unis.

1820. Compromis du Missouri sur l'extension de l'esclavage.

1823. Le président James Monroe expose sa doctrine au Congrès.

1825. Ouverture du canal de l'Érié (liaison New York-Grands Lacs).

1828. Instauration de droits de douane (tarif des « abominations ») protégeant l'industrie.

1830. Loi sur la déportation des Indiens à l'ouest du Mississippi.

1830. Joseph Smith écrit *Le Livre de Mormon* et fonde l'Église des saints des derniers jours.

1831. Invention de la moissonneuse par Cyrus McCormick.

1831. Parution du journal abolitionniste *Le Libérateur*, de William Garrison.

1832. Nouveau tarif douanier aux dépens des Sudistes (coton). Au nom du fédéralisme, la Caroline du Sud annule cette loi fédérale (crise de nullification).

1836. Le Texas (mexicain) devient une république indépendante.

1837-1843. Crise financière et dépression économique.

1838. « Piste des larmes », exode forcé des Indiens Cherokee de Georgie.

1842. Traité avec l'Angleterre sur la frontière canadienne.

1844. Première liaison télégraphique (Samuel Morse).

1845. Le Texas entre dans l'Union.

1846. Acquisition de l'Oregon. Guerre contre le Mexique.

1847. Prise de Mexico par les Américains.

1848. Traité de Guadalupe Hidalgo avec le Mexique qui cède tous ses territoires au nord du Rio Grande pour 15 millions de dollars.

1849. Ruée vers l'or en Californie.

1850. Compromis sur l'esclavage dans les nouveaux territoires (Californie, Utah, Nouveau-Mexique).

1852. Harriet Beecher Stowe publie *La Case de l'oncle Tom.*

1854. Nouveau compromis sur l'esclavage (Kansas et Nebraska).

1855-1859. Violences au Kansas à propos de l'esclavage.

1857. Arrêt *Dred Scott* de la Cour suprême, sur l'esclavage, rendant le compromis du Missouri inconstitutionnel.

1858. Débats sur l'esclavage entre Abraham Lincoln et Stephen Douglas.

1859. Raid de l'abolitionniste John Brown à l'arsenal de Harper's Ferry.

1860. Élection à la présidence de A. Lincoln, partisan du maintien de l'Union. Sécession de la Caroline du Sud.

1861. Formation de la Confédération des États du Sud ayant fait sécession. Attaque par le Sud de l'arsenal fédéral de Fort Sumter.

1862. Guerre navale. Loi sur le *Homestead* (première cession gratuite de terres fédérales).

1863. Entrée en vigueur de la Proclamation d'émancipation (des esclaves). Bataille de Gettysburg (Pennsylvanie).

1864-1865. Campagnes du général William T. Sherman : le Sud est dévasté.

1865 (9 avril). Capitulation des Sudistes à Appomatox (Virginie).

1865 (14 avril). A. Lincoln assassiné, Andrew Johnson lui succède.

1865 (déc.). 13e amendement adopté : abolition de l'esclavage.

• LE TRIOMPHE DU CAPITALISME (1866-1896)

1866. Pouvoirs renforcés au Bureau des affranchis chargé de l'insertion des esclaves libérés.

1867. Lois de Reconstruction (occupation des États du Sud jusqu'à ce qu'ils ratifient les 14e et 15e amendements accordant aux Noirs les droits civiques, etc.).

1868. Échec de la procédure d'*impeachment* contre le président A. Johnson.

1868. Adoption du 14e amendement (égalité des droits).

1869. Inauguration du premier chemin de fer transcontinental. Création du syndicat des Chevaliers du travail.

1870. Adoption du 15e amendement (droit de vote). Loi contre le Ku Klux Klan, fondé en 1870 pour lutter contre la « Reconstruction ».

LES PRÉSIDENTS DES ÉTATS-UNIS					
Président	Parti[1]	Année d'entrée en fonction	Président	Parti[1]	Année d'entrée en fonction
George Washington	F	1789	Benjamin Harrison	R	1889
John Adams	F	1797	Grover Cleveland	D	1893
Thomas Jefferson	DR	1801	William McKinley	R	1897
James Madison	DR	1809	Theodore Roosevelt	R	1901
James Monroe	DR	1817	William H. Taft	R	1909
John Quincy Adams	DR	1825	Woodrow Wilson	D	1913
Andrew Jackson	D	1829	Warren G. Harding	R	1921
Martin Van Buren	D	1837	Calvin Coolidge	R	1923
W. H. Harrison	W	1841	Herbert Hoover	R	1929
John Tyler	W	1841	Franklin D. Roosevelt	D	1933
James K. Polk	D	1845	Harry S. Truman	D	1945
Zachary Taylor	W	1849	Dwight D. Eisenhower	R	1953
Millard Fillmore	W	1850	John F. Kennedy	D	1961
Franklin Pierce	D	1853	Lyndon B. Johnson	D	1963
James Buchanan	D	1857	Richard Nixon	R	1969
Abraham Lincoln	R	1861	Gerald R. Ford	R	1974
Andrew Johnson	R	1865	Jimmy Carter	D	1977
Ulysses S. Grant	R	1869	Ronald Reagan	R	1981
Rutherford B. Hayes	R	1877	George H. Bush	R	1989
James A. Garfield	R	1881	Bill Clinton	D	1993
Chester A. Arthur	R	1881	George W. Bush	R	2001
Grover Cleveland	D	1885			

1. F : Fédéraliste ; DR : Démocrate-Républicain ; W : Whig ; D : Démocrate et R : Républicain.
Source : U.S. Immigration and Naturalization Service, Statistical Yearbook, annuel.

1873. Loi sur la démonétisation de l'argent (seul l'or reste valable).
1874. Invention du fil de fer barbelé.
1876. Le téléphone est présenté à l'exposition de Philadelphie.
1876. Victoire des Sioux sur George Custer à Little Big Horn (Wyoming).
1877. Fin de la « Reconstruction » : les troupes fédérales quittent le Sud.
1878. Remonétisation de l'argent. Invention du phonographe.
1882. Création du premier trust, Standard Oil. L'immigration chinoise est interdite.
1885. Fin de la guerre contre les Apaches (Geronimo).
1886. Émeute de Haymarket à Chicago, pour la journée de 8 heures. Création de l'American Federation of Labor (AFL).

1887. Loi *Dawes* sur la distribution des terres indiennes.

1890 (juil.). Loi *Sherman* antitrust.

1890 (oct.). Tarif *McKinley* si élevé qu'il provoque un débat sur l'impôt progressif sur le revenu.

1890 (déc.). Ultime défaite des Indiens à Wounded Knee (Dakota du Sud).

1892. Grève aux aciéries de Homestead (Pennsylvanie). Création du Parti populiste.

1893. Exposition colombienne de Chicago.

1894. Krach boursier et économique.

1894. Grève à Pullman City (Illinois). Marche des chômeurs de Jacob Coxey sur Washington.

1896. La Cour suprême légalise la ségrégation (*Plessy c. Ferguson*). Victoire du président William McKinley sur le démocrate Bryan.

• L'ÉMERGENCE DE L'AMÉRIQUE MODERNE (1897-1929)

1898 (juil.). Guerre hispano-américaine. Annexion de Hawaii.

1899 (mars). Révolte aux Philippines (prises à l'Espagne en 1898).

1899 (sept.). Doctrine de la « Porte ouverte » pour la Chine (liberté du commerce).

1900. Adoption du monométallisme or.

1901 (sept.). Assassinat du président McKinley. Theodore Roosevelt lui succède.

1901 (mars). Amendement *Platt* (protectorat américain sur Cuba).

1904. T. Roosevelt expose le « corollaire » de la doctrine Monroe. Diplomatie du « gros bâton » (*big stick*).

1905. Fondation d'un syndicat révolutionnaire, International Workers of the World (IWW).

1907. Restriction de l'immigration japonaise.

1907. La flotte américaine fait le tour du monde.

1913. Création du Federal Reserve System (Fed). Adoption des 16e et 17e amendements (impôt fédéral sur le revenu pour le premier ; élection des sénateurs au suffrage universel pour le second).

1914. Loi *Clayton* antitrust.

1914. Graves affrontements avec le Mexique.

1914. Inauguration du canal de Panama.

1915. Le *Lusitania* est coulé par les Allemands.

1915. Création de la Federal Trade Commission.

1916. Création du Service des parcs nationaux (département de l'Intérieur).

1917 (6 avril). Entrée en guerre des États-Unis, après qu'ils se sont déclarés neutres en 1914. Les troupes américaines arrivent en Europe de juin à octobre.

1918 (janv.). Programme de paix en « 14 points » de Woodrow Wilson.

1918 (nov.). Majorité républicaine au Congrès, contre le président Wilson.

1919. Adoption du 18ᵉ amendement (prohibition de l'alcool). Grèves dans les mines, les transports, l'industrie de septembre 1919 à janvier 1920.

1920. Le Sénat refuse de ratifier le traité de Versailles (concluant la Première Guerre mondiale). Peur des « rouges ». Arrestation et emprisonnement des anarchistes Nicola Sacco et Bartolomeo Vanzetti (exécutés en 1927).

1920 (août). Adoption du 19ᵉ amendement (vote des femmes).

1921. Première loi des quotas, limitant l'immigration. Une seconde suivra en 1924.

1921-1922. Conférence de Washington sur le désarmement naval.

1925. Procès du Singe. L'État du Tennessee interdit l'enseignement de l'évolutionnisme darwinien.

1927. Premier vol transatlantique en solo, par Charles Lindbergh.

1929 (oct.). Crise boursière. Début de la Grande Dépression.

• LA DÉPRESSION ET LA GUERRE (1930-1945)

1930. 4 millions de chômeurs. Programme de grands travaux.

1931. Moratoire du président Herbert Hoover sur les dettes de guerre.

1932. Création de la Reconstruction Finance Corporation (organisme fédéral chargé de prêts aux banques et à l'industrie).

1932 (mai-juil.). Manifestation des anciens combattants à Washington.

1933 (mai). Loi sur l'agriculture, *Agricultural Adjustment Act* (*AAA*). Création de la Tennessee Valley Authority.

1933 (juin). Loi sur le redressement industriel (*National Industrial Recovery Act – NIRA*).

1933 (déc.). Le 21ᵉ amendement met fin à la prohibition de l'alcool.

1934. Dévaluation du dollar. Loi sur la Bourse.

1935. La Cour suprême invalide l'*AAA* et le *NIRA*.

1935 (juil.). Loi *Wagner* (protection des syndicats) et *Social Security Act* (retraite).

1935-1937. Lois de neutralité : interdiction de ventes d'armes à toute nation en guerre. En 1939 une clause (*cash and carry*) sera ajoutée, qui autorisera les ventes si elles sont payées comptant.

1938. Deuxième loi sur l'agriculture. Récession économique.

1940. Loi sur le service militaire sélectif.

1941 (mars). Loi du prêt-bail permettant d'envoyer des armes aux alliés en guerre.

1941 (août). Charte de l'Atlantique (Roosevelt-Churchill) définissant les objectifs communs des deux gouvernements.

204

1941 (7 déc.). Attaque surprise des forces japonaises sur la base de Pearl Harbor (Hawaii). Entrée en guerre des États-Unis.

1942. Évacuation des Philippines. Bataille des îles Midway (juin). Défaite du Japon.

Août 1942-févr. 1943. Contre-offensive dans le Pacifique.

1942 (nov.). Débarquement américain en Afrique du Nord.

1943 (juil.). Débarquement en Sicile, puis en Italie (sept.).

1944 (juin). Débarquement en Normandie.

1944 (juil.). Conférence de Bretton Woods : création des grandes institutions financières internationales (FMI et Banque mondiale).

1944 (août-oct.). Conférence de Dumbarton Oaks (É.-U., URSS, Royaume-Uni, Chine) : charte de l'ONU.

1945 (févr.). Conférence de Yalta.

1945 (avril-juin). Conférence de San Francisco : fondation de l'ONU.

1945 (8 mai). Capitulation sans condition de l'Allemagne. Fin de la guerre en Europe.

1945 (6 et 9 août). Bombes atomiques sur Hiroshima et Nagasaki.

1945 (2 sept.). Capitulation du Japon. Fin de la Seconde Guerre mondiale.

• PROSPÉRITÉ ET GUERRE FROIDE (1946-1963)

1946 (juil.). Indépendance des Philippines.

1947 (mars). Doctrine de Truman : les États-Unis aideront les pays en lutte contre le communisme.

1947 (mars). Enquête sur la « loyauté » des fonctionnaires fédéraux.

1947 (juin). Plan Marshall d'aide à la reconstruction de l'Europe. Loi antisyndicale *Taft-Hartley*.

1947 (juil.). Création du Conseil national de sécurité.

Juin 1948-mai 1949. Blocus de Berlin : pont aérien.

1949. Signature du pacte de l'Atlantique nord portant création de l'OTAN (É.-U., France, Canada, Royaume-Uni).

1950 (janv.). Discours du sénateur républicain Joseph McCarthy à Wheeling (Virginie occidentale), qui accuse le département d'État d'employer des communistes.

1950 (juin). Début de la guerre de Corée.

1950 (sept.). Loi *McCarran* sur la sécurité intérieure (anticommuniste).

1951. Procès et condamnation des époux Julius et Ethel Rosenberg, accusés d'avoir livré la bombe atomique à l'URSS. Ils seront exécutés en 1953.

1952 (nov.). Premier test d'une bombe thermonucléaire.

1953 (juil.). Armistice en Corée.

1954 (mai). La Cour suprême condamne la ségrégation scolaire.

1954 (déc.). J. McCarthy est censuré par ses pairs du Sénat.

1955. Fusion des deux syndicats AFL et CIO.

1957. Doctrine d'Eisenhower : extension de l'aide américaine aux pays du Proche-Orient engagés dans la lutte anticommuniste.

1958 (janv.). Premier satellite américain dans l'espace, après le succès du *Spoutnik* soviétique (oct. 1957).

1959. Visites de Richard Nixon à Moscou et de Nikita Khrouchtchev à Washington.

1960 (mai). Un avion espion américain (U2), abattu au-dessus de l'URSS, entraîne l'échec de la conférence au sommet de Paris.

1961 (avril). Débarquement anticastriste manqué dans la baie des Cochons à Cuba.

1961 (août). Construction du Mur de Berlin.

1962 (oct.). Crise des missiles de Cuba.

1963 (août). Accord sur l'interdiction des essais nucléaires non souterrains. À Washington, marche pour les droits civiques.

1963 (1er nov.). Assassinat du président Ngo Dinh Diem à Saigon. En décembre, 16 300 soldats américains débarquent au Vietnam.

1963 (22 nov.). Le président John F. Kennedy est assassiné à Dallas (Texas). Lyndon B. Johnson lui succède.

• CRISES INTÉRIEURES ET « DÉCLIN » (1964-1979)

1964 (juil.). Lois sur les droits civiques et l'égalité des chances.

1964 (août). Résolution du golfe du Tonkin (« carte blanche » au président Johnson au Vietnam).

1965 (févr.). Bombardements américains sur le Nord-Vietnam.

1965 (juil.). *Medicare* : programme d'assurance maladie publique pour les personnes âgées.

1965 (août). Loi sur l'égalité d'accès aux urnes pour tous. Émeute dans le quartier noir de Watts, à Los Angeles.

1966 (juin). Premiers bombardements sur Hanoï et Haïphong.

1967 (juil.). Émeutes raciales à Newark (New Jersey) et Detroit (Michigan).

1968 (4 avril). Assassinat du leader du mouvement pour les droits civiques, Martin Luther King, à Memphis (Tennessee).

1968 (mai). Ouverture à Paris des pourparlers de paix au Vietnam.

1968 (juin). Assassinat de Robert Kennedy, après sa victoire aux « primaires » démocrates en Californie.

1969 (mars-avril). Bombardements américains au Cambodge.

1969 (juil.). Succès de la mission *Apollo XI* : Neil Armstrong marche sur la Lune.

1970 (avril). Américains et Sud-Vietnamiens entrent au Cambodge.

1970 (mai). Manifestations pacifistes étudiantes sur les campus universitaires (Kent State, etc.).

1971 (juil.). 26ᵉ amendement (droit de vote à 18 ans).

1971 (déc.). Dévaluation du dollar qui n'est plus lié à l'étalon or.

1972 (févr.-mai). Visite de R. Nixon à Pékin et à Moscou.

1972 (mai). Signature du traité *SALT I* (désarmement nucléaire).

1972 (mai). Bombardement de Hanoï.

1972 (juin). Arrestation des « plombiers » du Watergate (Washington) qui tentaient de s'emparer des documents concernant le Parti démocrate.

1973 (27 janv.). Accords de Paris : cessez-le-feu au Vietnam.

1973 (mai-août). Enquête du Sénat sur l'affaire du Watergate.

1973 (oct.). Démissions du vice-président Spiro Agnew pour corruption.

1974 (févr.). La commission judiciaire de la Chambre vote la procédure d'*impeachment* contre R. Nixon.

1974 (août). R. Nixon démissionne. Gerald Ford lui succède.

1975 (avril). Les Khmers rouges entrent à Phnom Penh. Chute de Saïgon.

1978 (avril). Ratification du traité sur le canal de Panama (contrôle de la zone transféré au Panama fin 1990).

1978 (sept.). Accords en vue d'un traité de paix israélo-égyptien signés à Camp David.

1979 (juil.). Mise au point du traité *SALT II* (armes stratégiques).

1979 (nov.). Prise d'otages américains à Téhéran pour protester contre l'asile accordé à l'ancien chah d'Iran.

• Du reaganisme à la Guerre du Golfe

1981 (janv.). Libération des otages de Téhéran, le jour de l'entrée en fonction de Ronald Reagan.

1981 (mars). R. Reagan blessé dans un attentat.

1982. Aide au Salvador. Intervention américaine au Liban.

1983 (oct.). Attentat à Beyrouth contre les *marines*, membres de la force multinationale d'interposition au Liban (241 tués). Retrait des troupes en février 1984.

1983 (oct.). Invasion de la Grenade dont le régime révolutionnaire, selon Washington, est une menace pour la région.

1984 (avril). Le Congrès condamne le minage des ports du Nicaragua par les États-Unis.

1985. Loi *Gramm-Rudman* visant à limiter le déficit budgétaire.

1986 (janv.). Explosion de la navette spatiale *Challenger*.

1986 (nov.). Premières révélations sur l'affaire de l'*Irangate*. La commission d'enquête se montrera sévère sur le rôle de R. Reagan.

1987 (19 oct.). « Lundi noir » à Wall Street. Le krach se répercute sur les grandes Bourses du monde.

1987 (8-10 déc.). Après les commets de Genève (novembre 1985) et de Reykjavik (octobre 1986), signature à Washington du traité sur le démantèlement des armes nucléaires à portée intermédiaire (FNI), par R. Reagan et Mikhaïl Gorbatchev. Ratification par le Sénat en mars 1988.
1989 (nov.). Ouverture du Mur de Berlin et de la frontière interallemande.
1989 (nov.). Élection du premier gouverneur noir en Virginie.
1989 (déc.). Rencontre George H. Bush-M. Gorbatchev à Malte. Invasion américaine du Panama (opération *Juste cause*) pour capturer Manuel Antonio Noriega, l'homme fort du régime.
1990 (août). Déploiement militaire en Arabie Saoudite pour riposter à l'invasion du Koweït par l'Irak.

HÉLÈNE TROCMÉ

• UNE SUPERPUISSANCE VULNÉRABLE

1991 (17 janv.). L'Irak n'ayant pas donné suite à l'ultimatum du Conseil de sécurité de l'ONU demandant le retrait de ses troupes du Koweït, les forces aériennes alliées, dont l'aviation américaine représente une part prépondérante, passent à l'attaque contre des objectifs irakiens (opération *Tempête du Désert*). Le 24 février, G. H. Bush annonce le déclenchement de l'offensive terrestre. L'Irak finit par accepter les résolutions de l'ONU et un cessez-le-feu est proclamé le 3 mars.
1991 (5 avril). Après l'échec de l'insurrection kurde en Irak et l'exode des populations en proie à la répression, Washington lance l'opération humanitaire *Provide Comfort*.
1991 (12 juin). Ouverture officielle des négociations entre les États-Unis, le Canada et le Mexique pour constituer une Zone de libre-échange des Amériques (ZLEA). Les discussions incluront, dans les années suivantes, tous les pays du continent américain sauf Cuba.
1991 (31 juil.). Signature à Moscou du traité *START I* (négociations sur la réduction des armements nucléaires stratégiques) entre G. H. Bush et M. Gorbatchev, prévoyant une réduction de 25 % à 30 % des armes stratégiques. Le 3 janvier 1993 sera signé à Moscou un nouvel accord, *START II*, entre les États-Unis et la CEI (Communauté d'États indépendants).
1991 (15 oct.). Le Sénat confirme la nomination à la Cour suprême du juge noir conservateur Clarence Thomas, malgré les accusations de harcèlement de l'une de ses anciennes collaboratrices. Cette affaire a provoqué un vaste débat national sur le harcèlement sexuel.
1991 (déc.). Disparition de l'URSS ; les États-Unis deviennent la seule superpuissance mondiale.

1992 (29 avril). L'acquittement de quatre policiers blancs ayant « passé à tabac » à Los Angeles en 1991 un citoyen noir, Rodney King, provoque les émeutes les plus meurtrières de l'histoire américaine d'après guerre : près de 50 morts, plus de 2 300 blessés, plus de 3 000 magasins ou entrepôts détruits à Los Angeles. Le couvre-feu est instauré pendant quatre jours. Les quatre policiers seront jugés une seconde fois en 1993 et cette fois déclarés coupables.

1992 (3 déc.). Le Conseil de sécurité de l'ONU décide d'une intervention militaire en Somalie (où sévit la guerre civile) sous le commandement délégué des États-Unis. Ceux-ci lancent l'opération *Restore Hope* le 9 décembre (débarquement de 36 000 soldats, dont plus de 24 000 Américains).

1993 (22 janv.). Le nouveau président Bill Clinton abroge plusieurs décrets qui restreignaient la liberté de l'avortement.

1993 (19 avril). Après 51 jours de siège, le FBI donne l'assaut contre la ferme-forteresse de la secte des Davidiens, à Waco (Texas). 90 disciples meurent avec leur gourou, David Koresh, en incendiant les locaux.

1993 (26 fév.). Attentat islamiste contre le World Trade Center à New York, faisant six morts et un millier de blessés.

1993 (13 mai). Le Pentagone renonce au projet IDS (Initiative de défense stratégique, dite « guerre des étoiles ») lancé en mars 1983 par R. Reagan, au profit d'un projet de défense antimissile plus limité, à partir de missiles intercepteurs au sol.

1993 (20 juil.). Vincent Foster, l'adjoint au conseiller juridique de la Maison-Blanche, est retrouvé mort. L'enquête conclut au suicide. Associé, tout comme Hillary Rodham-Clinton, de l'étude Rose à Little Rock, il avait été chargé par les Clinton de liquider leurs intérêts dans le projet immobilier Whitewater.

1993 (13 sept.). Quatre jours après la reconnaissance mutuelle d'Israël et de l'OLP, le Premier ministre israélien Itzhak Rabin et le chef de l'OLP Yasser Arafat signent à Washington, en présence de B. Clinton, des accords dits « Gaza-Jéricho d'abord », devant préparer la voie à l'autonomie palestinienne dans les Territoires occupés.

1993 (7 oct.). Suite à la mort, le 3 octobre, de 18 soldats américains et de 300 Somaliens dans des affrontements avec les troupes du général Aydiid, le président Clinton annonce le retrait des troupes américaines de Somalie.

1993 (15 déc.). À quelques heures de l'échéance des discussions commerciales multilatérales de l'*Uruguay Round* (GATT – Accord général sur les tarifs douaniers et le commerce), les négociateurs américains et européens règlent leurs derniers différends, notamment sur les épineux dossiers de l'agriculture et de l'audiovisuel. Sous la pression de la France en particulier, l'Union européenne obtient que l'audiovisuel soit examiné plus tard.

1994 (1ᵉʳ janv.). Entrée en vigueur de l'ALENA (Accord de libre-échange nord-américain) entre les États-Unis, le Canada et le Mexique (signé en décembre 1992), qui abolit les barrières douanières entre les trois États.

1994 (30 juin). La première partie du rapport du procureur spécial Robert Fiske lave le personnel de la Maison-Blanche de tout soupçon dans le scandale politico-immobilier de Whitewater.

1994 (26 sept.). Le leader de la majorité démocrate au Sénat, George Mitchell, renonce à déposer un projet de loi sur la réforme du système de santé, dont B. Clinton avait fait le leitmotiv de sa campagne électorale en 1992.

1994 (15 oct.). Les États-Unis envoient des bateaux de guerre face à Haïti pour tenter de faire respecter l'embargo décidé par le Conseil de sécurité des Nations unies afin d'obliger l'armée haïtienne à céder le pouvoir au président élu Jean-Bertrand Aristide (renversé par un coup d'État le 30 septembre 1991).

1994 (11 déc.). Premier « sommet des Amériques » réunissant tous les pays américains à l'exception de Cuba.

1995 (19 avril). L'explosion d'une bombe dans un édifice fédéral à Oklahoma City fait plus de 150 victimes et choque l'ensemble du pays. Les personnes arrêtées appartiennent à des organisations paramilitaires d'extrême droite.

1995 (1ᵉʳ sept.). Le Sénat approuve par 87 voix contre 12 une vaste réforme de l'aide sociale prévoyant des économies budgétaires de 65 milliards de dollars étalées sur sept ans.

1995 (21 nov.). Entente entre les présidents de Bosnie, de Croatie et de Serbie, réunis à Dayton (Ohio), sur un accord de paix mettant fin au conflit en Bosnie-Herzégovine (accord officiellement signé à Royaumont en décembre suivant).

1996 (16 avril). Un accord prévoit le retrait militaire américain de l'île d'Okinawa (Japon), 47 000 soldats américains resteront cependant basés sur le territoire japonais.

1996 (juin-août). Un attentat contre une base américaine en Arabie Saoudite (25 juin) fait dix-neuf morts. Moins d'un mois après, un avion de ligne explose après son décollage de New York. Pour finir, les jeux Olympiques d'Atlanta (juillet-août) sont marqués par un attentat à la bombe, le 27 juillet.

1997 (13 fév.). Selon une enquête du département de la Justice, le gouvernement chinois a tenté de financer la campagne présidentielle démocrate. L'article relance le débat sur le financement électoral.

1998 (21 janv.). Le conseiller indépendant dans l'affaire Whitewater, Kenneth W. Starr, entame une enquête publique sur les relations entre le président Clinton et une jeune stagiaire de la Maison-Blanche, Monica Lewinsky.

1998 (18 mai). Le gouvernement fédéral et vingt États américains déposent deux poursuites majeures contre Microsoft, qu'ils accusent d'utiliser son monopole sur les logiciels système pour éliminer ses concurrents et tenter de contrôler Internet. Après quatre ans de procédure, un accord à l'amiable est trouvé, permettant d'éviter le démantèlement du groupe.

1999 (12 fév.). Le Sénat acquitte le président Clinton des accusations de parjure et d'obstruction à la justice dans l'affaire Lewinsky, mettant fin à la procédure de révocation (*impeachment*) amorcée à la Chambre des représentants en septembre.

1999 (mars-juin). L'OTAN décide, à l'initiative des États-Unis, de bombarder la Yougoslavie pour contraindre Belgrade à retirer ses troupes du Kosovo (opération *Allied Force*).

1999 (13 oct.). Le Sénat, dominé par les républicains, rejette la ratification du Traité d'interdiction totale des essais nucléaires (TICE). Signé par le président Clinton en 1996, ce traité a l'aval de 153 autres pays et l'appui de l'opinion publique américaine.

1999 (30 nov.). La cérémonie d'ouverture de la conférence intergouvernementale de l'OMC (Organisation mondiale du commerce) à Seattle est annulée à cause d'une importante manifestation contre la mondialisation et la libéralisation des échanges.

2000 (24 mai). La Chambre des représentants approuve la normalisation des relations commerciales avec la Chine, en accordant au pays l'équivalent de l'ancienne « clause de la nation la plus favorisée ». Il s'agit d'une victoire politique majeure pour le président Clinton.

2000 (7 nov.). Après une lutte très serrée entre le vice-président démocrate Al Gore et le gouverneur républicain du Texas, George W. Bush (fils de l'ancien président George H. Bush), l'élection présidentielle demeure sans gagnant confirmé. De longs, difficiles et controversés recomptages seront effectués en Floride afin de déterminer qui a gagné les 25 grands électeurs de cet État, nécessaires pour constituer une majorité sur le plan national. La Cour suprême met fin aux contestations judiciaires ; Al Gore déclare forfait, reconnaissant la victoire de G. W. Bush.

2001 (28 mars). L'administration Bush annonce qu'elle rejette le protocole de Kyoto (négocié en 1997 et ratifié par 186 pays) portant sur la réduction des émissions de gaz à « effet de serre » pour lutter contre le réchauffement climatique. Le 13 mars, le président avait déjà annoncé qu'en dépit de ses promesses électorales il n'envisageait pas de réglementer les émissions de gaz carbonique (CO_2).

2001 (20-22 avril). 3e « sommet des Amériques » (tenu à Québec), au terme duquel les dirigeants des 33 pays participants réaffirment leur engagement en faveur d'une Zone de libre-échange des Amériques (ZLEA) pour 2005 et adoptent une clause faisant de la démocratie une condition de participation au processus d'intégration.

2001 (1er mai). Le président Bush remet en question les contraintes du traité ABM (Anti-ballistic Missile) signé en 1972 avec l'Union soviétique et s'engage, sans en préciser l'échéancier, à doter son pays d'un système de « bouclier antimissile ».

2001 (11 sept.). Quatre avions civils sont détournés par des activistes islamistes pour attaquer New York et Washington. Deux d'entre eux détruisent entièrement le World Trade Center à New York, un autre s'abat sur une aile du Pentagone à Washington et un quatrième s'écrase près de Pittsburgh. Au total, environ 3 000 personnes trouvent la mort lors de ces attentats, considérés par le gouvernement américain comme un « acte de guerre ».

2001 (7 oct.) Par des bombardements, les États-Unis et le Royaume-Uni amorcent l'offensive militaire contre l'Afghanistan, dont le régime des taliban protège le réseau Al-Qaeda d'Oussama ben Laden, auquel sont imputés les attentats du « 11 septembre ».

2001 (2 déc.) Faillite de la société énergétique Enron, qui détenait 20 % du marché des actions en énergie (gaz naturel et électricité) aux États-Unis et en Europe. Le cabinet d'audit Andersen sera inculpé pour destruction de pièces comptables. Cette affaire lui sera fatale.

2002 (20 mars). Le Sénat approuve une loi réformant le financement des partis politiques (interdiction de la *soft money* et hausse de la limite sur les dons de *hard money*).

2002 (13 mai). Signature par le président Bush d'une loi sur l'agriculture qui prévoit une augmentation des subventions d'environ 70 % sur dix ans. Ce *farm bill* s'ajoute à plusieurs autres mesures protectionnistes en contradiction avec les engagements du gouvernement américain en faveur de la libéralisation des marchés.

2002 (24 mai). Le président Bush et le président russe, Vladimir Poutine, signent un traité de réduction des armes nucléaires.

2002 (1er juil.). Entrée en vigueur de la Cour pénale internationale (CPI), dont les États-Unis ont choisi de se tenir à l'écart.

2002 (20 sept.). Le président Bush rend publique une nouvelle stratégie de défense nationale, soulignant la suprématie militaire des États-Unis dans le monde et légitimant les actions unilatérales en cas de refus ou de réticences des alliés.

2003 (11 janv.). Le gouverneur républicain de l'Illinois, George Ryan, commue en peine de prison à perpétuité les 167 condamnations à mort de son État, ce qui marque une étape majeure dans le recul de la peine de mort aux États-Unis.

2003 (19 mars). À la suite de l'expiration de l'ultimatum fixé par le président américain au régime de Bagdad (renoncer aux armes de destruction massive que celui-ci est soupçonné détenir), des attaques aériennes frappent l'Irak. Le 20 mars, G. W. Bush annonce le début d'une grande campagne militaire lancée sans l'aval de l'ONU et destinée à « désarmer l'Irak, libérer son peuple et protéger le monde d'un grave danger ». Le 9 avril, Washington déclare que le régime de Saddam Hussein ne contrôle plus Bagdad. La coalition doit cependant faire face, pendant les mois suivants, à des attaques régulières contre ses troupes mais aussi contre les organisations internationales et les ONG émanant de groupes armés réclamant le départ des étrangers du sol irakien.

2003 (13 déc). Arrestation à Tikrit du président irakien Saddam Hussein, qui était en fuite.

(L'état du monde)

Bibliographie générale

Sydney E. AHLSTROM, *A Religious History of the American People*, Yale University Press, New Haven (CT) / Londres, 1972.

Jacques ANDRÉANI, *L'Amérique et nous*, Odile Jacob, Paris, 2000.

Alain BAUER, Émile PEREZ, *L'Amérique, la Violence, le Crime : les réalités et les mythes*, PUF, Paris, 2000.

Yves BERGER, *Dictionnaire amoureux de l'Amérique*, Plon, Paris, 2003.

Nicole BERNHEIM, *Où vont les Américains ?*, La Découverte, « Sur le vif », Paris, 2000.

A. BLOOM, *The Closing of the American Mind*, Touchstone, New York, 1987.

Sophie BODY-GENDROT, *La Société américaine après le 11 septembre*, Presses de Sciences Po, Paris, 2002.

Sophie BODY-GENDROT, *Les États-Unis et leurs immigrants*, La Documentation française, Paris, 1991.

John BODNAR, *The Transplanted. A History of Immigrants in Urban America*, Indiana University Press, Bloomington (IN), 1985.

Daniel BOORSTIN, *Histoire des Américains* (3 vol.), Armand Colin, Paris, 1981 (Robert Laffont, « Bouquins », 1999).

Kristina BORJESSON, *Black List : quinze grands journalistes américains brisent la loi du silence*, Les Arènes, Paris, 2003.

214

Jeannine BRUN, *America ! America ! Trois siècles d'émigration aux États-Unis (1620-1920)*, Gallimard, Paris, 1980.

John D. BUENKER, Lorman RATNER (sous la dir.), *Multiculturalism in the United States. A comparative Guide to Acculturation and Ethnicity*, Greenwood Press, Westport (CT), 1992.

Françoise BURGESS, *Les Institutions des États-Unis*, PUF, « Que sais-je ? », Paris, 1986.

Jackson W. CARROLL, Douglas W. JOHNSON, Martin E. MARTY, *Religion in America, 1950 to the Present*, Harper & Row, New York, 1979.

Laurent COHEN-TANUGI, *L'Europe et l'Amérique au seuil du XXIᵉ siècle*, Odile Jacob, Paris, 2004.

Catherine COLLOMP, Mario MENENDEZ (sous la dir.), *Amérique sans frontière. Les États-Unis dans l'espace nord-américain*, Presses universitaires de Vincennes, Saint-Denis, 1996.

Catherine COLLOMP, Mario MENENDEZ (sous la dir.), *Exilés et réfugiés aux États-Unis, 1789-2000*, CNRS-Éditions, Paris, 2003.

Marie-Agnès COMBESQUE, Ibrahim A. WARDE, *Mythologies américaines*, Le Félin, Paris, 2002.

Bernard COTTRET, *La Révolution américaine. La quête du bonheur*, Perrin, Paris, 2003.

Nelcya DELANOË, *L'Entaille rouge. Terres indiennes et démocratie américaine*, La Découverte, Paris, 1982 (nouv. éd., Albin Michel, 1996).

Michael D'INNOCENZO, Josef P. SIREFMAN, *Immigration and Ethnicity : American Society. "Melting Pot" or "Salad Bowl"?*, Greenwood Press, Westport (CT), 1992.

Claude FOHLEN, *Histoire de l'esclavage aux États-Unis*, Perrin, 1998.

Claude FOHLEN, *Les États-Unis au XXᵉ siècle*, Aubier, Paris, 1988.

Monique FOUET, Hélène BAUDCHON, *L'Économie des États-Unis*, La Découverte, « Repères », Paris, 2002.

Lawrence H. FUCHS, *The American Kaleidoscope. Race, Ethnicity and the Civil Culture*, Wesleyan University Press, Middletown (CT), 1990.

Edwin S. GAUSTAD, Philip L. BARLOW, Richard W. DISHNO, *New Historical Atlas of Religion in America*, Oxford University Press, New York, 2000.

« Géopolitique des États-Unis. Culture, intérêts, stratégies », *Revue française de géopolitique*, n° 1, Ellipses, Paris, 2003.

215

Gary GERSTEL, John MOLLENKOPF (sous la dir.), *E Pluribus Unum ? Contemporary and Historical Perspectives on Immigrant Political Incorporation*, Russell Sage Foundation, New York, 2001.

Cynthia GHORRA-GOBIN, *Les États-Unis, entre local et mondial*, Presses de Sciences Po, Paris, 2000.

Cynthia GHORRA-GOBIN, *Villes et société urbaine aux États-Unis*, Armand Colin, Paris, 2003.

Benjamin GINSBERG, Theodore J. LOWI, Margaret WEAR, *We the People. An Introduction to American Politics*, W.W. Norton & Company, New York, 2003 (4e éd.).

Nathan GLAZER, *We are all Multiculturalists Now*, Harvard University Press, Cambridge (MA), 1997.

Jean GUISNEL, *Délires à Washington*, La Découverte, Paris, 2003.

Harvard Encyclopedia of American Ethnic Groups, Harvard University Press, Cambridge (MA), 1980.

Pierre HASSNER, Justin VAÏSSE, *Washington et le Monde : dilemmes d'une superpuissance*, Autrement / CERI, Paris, 2003.

Gilles HAVARD, Cécile VIDAL, *Histoire de l'Amérique française*, Flammarion, Paris, 2003.

Jean HEFFER, *La Grande Dépression. Les États-Unis en crise, 1929-1933*, Gallimard, Paris, 1985 (nouv. éd. 1991).

Stanley HOFFMANN, *L'Amérique vraiment impériale ? Entretiens sur le vif avec Frédéric Bozo*, Audibert, Paris, 2003.

Richard HOFSTADTER, *Anti-intellectualism in American Life*, Vintage Books, New York, 1963.

Richard HOFSTADTER, *Social Darwinism in American Thought*, Beacon Press, Boston (MA), 1955.

David HOLLINGER, *Postethnic America. Beyond Multiculturalism*, Basic Books, New York, 1995.

« Inquiétante Amérique », *Mouvements*, n° 30, La Découverte, Paris, nov-déc. 2003.

Irving HOWE, *Le Monde de nos pères. L'extraordinaire odyssée des juifs d'Europe de l'Est en Amérique*, Michalon, Paris, 1997.

Philippe JACQUIN (sous la dir.), *Le Mythe de l'Ouest*, Autrement, Paris, 1993.

Philippe JACQUIN, Daniel ROYOT, Stephen WHITFIELD, *Le Peuple américain. Origines, immigration, ethnicité et identité*, Seuil, Paris, 2000.

216

Chalmers JOHNSON, *Blowback : the Costs and Consequences of the American Empire*, Metropolitan Books, New York, 2000.

André KASPI, *La Peine de mort aux États-Unis*, Plon, Paris, 2003.

André KASPI, *Les Américains*, Seuil, Paris, 1988 (nouv. éd. 2002).

André KASPI, Jean-Claude BERTRAND, Jean HEFFER, *La Civilisation américaine*, PUF, Paris, 1993 (4ᵉ éd.).

Randall KENNEDY, *Interracial Intimacies*, Pantheon, New York, 2003.

Will KYMLICKA, *La Citoyenneté multiculturelle. Une théorie libérale du droit des minorités*, La Découverte, Paris, 2001.

Denis LACORNE, *La Crise de l'identité américaine*, Fayard, Paris, 1997 (Gallimard, « Tel », 2003).

Jean-Michel LACROIX, *Histoire des États-Unis*, PUF, Paris, 2001 (2ᵉ éd. mise à jour).

Jacques LAMBERT, *Histoire constitutionnelle de l'union américaine* (4 vol.), Sirey, Paris, 1930-1937.

Henry LELIÈVRE (sous la dir.), *Les États-Unis, maîtres du monde ?*, Complexe, Bruxelles, 1999.

Annie LENNKH, Marie-France TOINET, *L'état des États-Unis*, La Découverte, Paris, 1990.

« Les États-Unis et le reste du monde », *Hérodote*, n° 109, La Découverte, Paris, 2003.

Claude LÉVY, *Les Minorités ethniques aux États-Unis*, Ellipses, Paris, 1997.

Élise MARIENSTRAS, *Les Mythes fondateurs de la nation américaine*, Maspero, Paris, 1976 (Complexe, 1992).

Élise MARIENSTRAS, *Nous le peuple. Les origines du nationalisme américain*, Gallimard, Paris, 1988.

Jean-Pierre MARTIN, *La Religion aux États-Unis*, Presses universitaires de Nancy, Nancy, 1989.

Lipset S. MARTIN, *The First New Nation*, Heinemann, Londres, 1964 (éd. poche, Transaction Pub, 2003).

Frank MEAD, *Handbook of Denominations in the United States*, Abingdon Press, Nashville (TN), 2001 (11ᵉ éd.).

Walter R. MEAD, *Sous le signe de la providence. Comment la diplomatie américaine a changé le monde*, Odile Jacob, Paris, 2003.

Pierre MÉLANDRI, *Histoire des États-Unis depuis 1865*, Nathan, 1976 (7ᵉ éd. Nathan, 2000)

Pierre MÉLANDRI, *Histoire intérieure des États-Unis au XXᵉ siècle*, Masson, Issy-les-Moulineaux, 1991.

Pierre MÉLANDRI, Justin VAÏSSE, *L'Empire du Milieu. Les États-Unis et le monde depuis la fin de la Guerre froide*, Odile Jacob, Paris, 2001.

Samuel E. MORISON, *The Oxford History of the American People*, Oxford University Press, New York, 1965 (Penguin É-U, 1994).

Mary Beth NORTON *et alii*, *A People and a Nation. A History of the United States*, Houghton Mifflin, Boston, 2000 (6ᵉ éd.).

Yves-Henri NOUAILHAT, *Les États-Unis et le monde de 1898 à nos jours*, Armand Colin, Paris, 2003.

C. E. OLMSTEAD, *History of Religion in the United States*, Prentice Hall (NJ), 1960.

Désiré PASQUET, *Histoire politique et sociale du peuple américain* (3 vol.), Picard, Paris, 1924-1931.

Richard POLENBERG, *One Nation Divisible ? Class, Race, Ethnicity in the US since 1938*, Penguin Books, New York, 1980.

Jacques PORTES, *De la scène à l'écran, naissance de la culture de masse aux États-Unis*, Belin, Paris, 1997.

Jacques PORTES, *États-Unis, une histoire à deux visages*, Complexe, Bruxelles, 2002.

Jacques PORTES, *L'Histoire des États-Unis depuis 1945*, La Découverte, « Repères », Paris, 1992.

Michel RÉZÉ, Ralph BOWEN, *Key Words in American Life. Understanding the United States*, Armand Colin, Paris, 1988 (4ᵉ éd. 1998).

Michel RÉZÉ, Ralph BOWEN, *The American West : History, Myth and the National Identity*, Armand Colin, Paris, 1998.

Isabelle RICHET, *La Religion aux États-Unis*, PUF, « Que sais-je ? », Paris, 2001.

Daniel ROYOT, *Les États-Unis, civilisation de la violence ?*, Armand Colin, Paris, 2003.

Daniel ROYOT, Jean-Loup BOURGET, Jean-Pierre MARTIN, *Histoire de la culture américaine*, PUF, Paris, 1993.

Arthur SCHLESINGER, *La Désunion de l'Amérique*, Liana Lévi, Paris, 1993.

Werner SOMBART, *Why Is there No Socialism in the United States ?*, Sharpe, New York, 1976 (trad. en américain de l'ouvrage rédigé en allemand en 1906).

Statistical Abstract of the United States. The National Data Book, Hoover's Business Press, Austin (annuel).

Emmanuel TODD, *Après l'empire. Essai sur la décomposition du système américain*, Gallimard, Paris, 2002 (« Folio », 2004).

Marie-France TOINET, *1947-1957, la Chasse aux sorcières : le maccarthysme*, Complexe, Bruxelles, 1988.

Marie-France TOINET, *Les Grands Arrêts de la Cour suprême*, Presses universitaires de Nancy, Nancy, 1989.

Marie-France TOINET, *Le Système politique des États-Unis*, PUF, Paris, 1990 (2e éd.).

André et Suzanne TUNC, *Le Système constitutionnel des États-Unis*, Domad-Montchrestien, Paris, 1954.

Francis J. TURNER, *The Frontier in American History*, Holt, New York, 1920.

Jean-Michel VALANTIN, *Hollywood, le Pentagone et Washington. Les trois acteurs d'une stratégie globale*, Autrement, Paris, 2003.

Alfredo G. A. VALLADÃO, *Le XXIe siècle sera américain*, La Découverte, Paris, 1993.

Reeve VANNEMAN, Lynn Weber CANNON, *The American Perception of Class*, Temple University Press, Philadelphie (PA), 1987.

Bernard VINCENT, *Histoire des États-Unis*, Presses universitaires de Nancy, Nancy, 1994.

« Vocabulaire historique et critique des relations inter-ethniques », *Pluriel-recherches,* cahiers 6-7, L'Harmattan, Paris, 2000. Voir notamment H. Bertheleu, « Multiculturalisme ».

Michael WALZER, *What it means to be an American*, Marselis, New York, 1992.

Yearbook of American and Canadian Churches (annuel), Abingdon Press, Nashville (TN).

François WEIL, *Histoire de New York,* Fayard, Paris, 2000.

Howard ZINN, *Le XXe siècle américain. Une histoire populaire de 1890 à nos jours,* Agone, Marseille, 2003.

Olivier ZUNZ, *Le Siècle américain. Essai sur l'essor d'une grande puissance*, Fayard, Paris, 2000.

Collections

Histoire documentaire des États-Unis (11 vol.) et *Histoire thématique des États-Unis* (5 vol.), Presses universitaires de Nancy.

Arts et culture

Edward BANFIELD, *The Democratic Muse : Visual Arts and the Public Interest*, Basic Books, New York, 1984.

Charles T. CLOTFELTER, Thomas EHRLICH, *Philanthropy and the Nonprofit Sector in a Changing America*, Indiana University Press, Bloomington (IN), 1999.

Architecture

David HANDLIN, *American Architecture*, Thames & Hudson, Londres, 1985 (2ᵉ éd. 2003).

Claude MASSU, *Chicago : de la modernité en architecture*, Parenthèses, Paris, 1997.

Beverly RUSSELL, *Architecture & Design 1970-1990. New Ideas in America*, Abrams, New York, 1989.

Hélène TROCMÉ, *Les Américains et leur architecture*, Aubier-Montaigne, Paris, 1981.

Arts plastiques

Dore ASHTON, *The New York School*, Viking Press, New York, 1973 (éd. poche, University of California Press, Berkeley, 1992).

Sam HUNTER, *American Art of the 20ᵗʰ Century*, Abrams, New York, 1972 (rééd. Prentice Hall / Abrams, 1985).

Jennifer MARTIN, Claude MASSU, Sarah NICHOLS, Alexandra PARIGORIS, Denys RIOULT, David TRAVIS, *L'Art des États-Unis*, Citadelles & Mazenod, Paris, 1992.

Irving SANDLER, *The Triumph of American Painting*, Praeger, New York, 1970 (éd. poche, Westview Press, 1999).

Roland TISSOT, *L'Amérique et ses peintres*, Presses universitaires de Lyon, Lyon, 1983.

Roland TISSOT, *Peinture et sculpture aux États-Unis*, Armand Colin, Paris, 1974.

Cinéma

Raymond BELLOUR, *Le Cinéma américain. Analyses de films* (2 vol.), Flammarion, Paris, 1980-1981.

Jean-Loup BOURGET, *Le Cinéma américain 1895-1980*, PUF, Paris, 1983.

Comédie musicale

Stanley GREEN, *The World of Musical Comedy*, A. S. Barnes, Cranberry (NJ), 1974 (4e éd. 1980).

Alain MASSON, *La Comédie musicale*, Ramsay, Paris, 1994.

Danse

Jacques BARIL, *La Danse contemporaine, d'Isadora Duncan à Twyla Tharp*, Vigot, Paris, 1977.

Merce CUNNINGHAM, *Le Danseur et la Danse*, Belfond, Paris, 1980.

Marcelle MICHEL, Isabelle GINOT, *La Danse au XXe siècle*, Larousse, Paris, 2002.

Bernard TAPER, *Balanchine*, JC Lattès, Paris, 1980.

Design

Donald J. BUSH, *The Streamlined Decade*, Braziller, New York, 1975.

John HESKETT, *Industrial Design*, Thames & Hudson, Londres, 1984.

Jeffrey L. MEIKLE, *Twentieth Century Limited. Industrial Design in America 1925-1939*, Temple University Press, Philadelphie (PA), 1949 (2e éd. 2001).

Jocelyn DE NOBLET, *Design. Le Geste et le Compas*, Somogy, Paris, 1988.

David E. NYE, *American Technological Sublime*, Massachusetts Institute of Technology Press, Cambridge (MA), 1994.

Littérature

Marc CHÉNETIER, *Au-delà du soupçon. La nouvelle fiction américaine de 1960 à nos jours*, Seuil, Paris, 1989.

Denise COUSSY, Geneviève FABRE, Michel FABRE, Évelyne LABBÉ, *Les Littératures de langue anglaise depuis 1945*, Nathan, Paris, 1988.

Dictionnaire des littératures de langue anglaise, Albin Michel / Encyclopaedia Universalis, Paris, 1997.

Rachel ERTEL, *Le Roman juif américain. Une écriture minoritaire*, Payot, Paris, 1980.

Michel FABRE, *La rive noire : les écrivains noirs américains à Paris 1830-1995*, André Dimanche, Marseille, 1999.

Serge FAUCHEREAU, *Lecture de la poésie américaine*, Minuit, Paris, 1979.

Jerome KLINTOWITZ, *Literary Disruptions : The Making of post-Contemporary American Fiction*, University of Illinois Press, Champaign (Il), 1980.

Marie-Claude PERRIN-CHENOUR, *Les Littératures minoritaires aux États-Unis*, Éditions du Temps, Nantes, 2003.

Musique

Christian BÉTHUNE, *Le Rap, une esthétique hors-la-loi*, Autrement, Paris, 1999.

Philippe CARLES, André CLERGEAT, Jean-Louis COMOLLI (sous la dir.), *Dictionnaire du jazz*, Robert Laffont, Paris, 1988.

Louis Moreau GOTTSCHALK, *Les Voyages extraordinaires de L. Moreau Gottschalk pianiste et aventurier*, Pierre-Marcel Favre, Lausanne, 1985.

Gérard HERZHAFT, *La Country music*, PUF, Paris, 1984 (2e éd. 1995).

Gérard HERZHAFT, *Le Blues*, PUF, « Que sais-je ? », Paris, 1994.

Jacques B. HESS, *Le Ragtime*, PUF, « Que sais-je ? », Paris, 1992.

H. Wiley HITCHCOCK, *Music in the United States. A Historical Introduction*, Prentice Hall, Englewood Cliffs (NJ), 1969 (4e éd. en poche 1999).

Francis HOFSTEIN, *Le Rhythm and blues*, PUF, « Que sais-je ? », Paris, 1991.

Lucien MAISON, Christian BELLEST, *Le Jazz*, PUF, « Que sais-je ? », Paris, 1987.

Denis-CONSTANT MARTIN, *Le Gospel afro-américain. Des spirituals aux raps religieux*, Actes Sud / Cité de la musique, Paris, 1998.

Eileen SOUTHERN, *Histoire de la musique noire américaine*, Buchet-Chastel, Paris, 1976 (nouv. éd. 1992).

Photographie

Jonathan GREEN, *American Photography. A Critical History, 1945 to the Present*, Abrams, New York, 1984.

Miles ORVELL, *American Photography*, Oxford University Press, New York, 2003.

« Photographie américaine : l'archive et le rêve », *Revue française d'études américaines*, n° 39, Presses universitaires de Nancy, Nancy, 1989.

Robert TAFT, *Photography and the American Scene. A Social History 1839-1889*, Macmillan, New York, 1938 (Dover, 1964).

Théâtre

Ruby COHN, *New American Dramatists 1960-1990*, Macmillan Press, New York, 1991.

Geneviève FABRE, *Le Théâtre noir aux États-Unis*, CNRS-Éditions, Paris, 1982.

Marie-Claire PASQUIER, *Le Théâtre américain d'aujourd'hui*, PUF, Paris, 1978.

Theodore SHANK, *Beyond the Boundaries. American Alternative Theatre*, Grove Press, New York, 1982 (éd. poche 2002).

Theodore SHANK, *Ethnic Theatre in the United States*, Greenwood Press, Westport (CT), 1983.

BUSSIÈRE

GROUPE CPI

Composition : Carmen Fabre,
La Magdelaine-sur-Tarn
Impression réalisée par Bussière
à Saint-Amand-Montrond (Cher).
Dépôt légal du 1er tirage : mars 2004.
Suite du 1er tirage (2) : mai 2005.
N° d'impression : 052111/1.
Imprimé en France